KB195871

2017 '작가'가 선정한

오늘의 영화

작가

열두 번째 '오늘의 영화', 〈동주〉와 〈나, 다니엘 블레이크〉 최고작 뽑혀

— 시대성 · 시대정신, 21편의 선정작들은 물론 이준익 감독 대담도 관통

이준익 감독의 〈동주〉와 켄 로치 감독의 〈나, 다니엘 블레이크〉가 『2017 '작가'가 선정한 오늘의 영화』 최고 한국 영화와 외국 영화로 선정됐다. 이름도, 언어도, 꿈도 그 어떤 것도 제대로 허락되지 않았던 암흑의 일제 강점기를 배경으로, 한 집에서 태어나고 자란 동갑내기 사촌지간이자 평생을 함께 한 친구이며 영원한 라이벌이었던 시인 윤동주와 행동가 송몽규를 축으로 펼쳐지는 문제적 휴먼 드라마. 그리고 "희망을 말하기에는 너무 냉혹하고 부조리"(이현우)한 현실을 단 한순간도 흐트러지거나 감상적으로 새지 않으면서도 감성적 호소를 잃지 않으며 직시 · 고발하는, 그러나 "목수 다니엘이 그래피티 아티스트로 탄생하는 장면"이면서 동시에 "카메라와 함께 무거운 마음으로 그의 일상을 뒤따라온 관객들에게 카타르시스를 제공해주는 장면이기도" 한 다니엘의 '시민 선언'(과 다니엘을 진심으로 지지하는 또 다른 시민들)을 통해 끝내 일말의 희망을 설파하는 걸 잊지 않는 2016년의 걸작!

이 두 문제작이 오늘의 영화 최고작으로 뽑힌 것은 사실 의외이면서 동시에 당연하게 다가선다. 〈동주〉부터 말하면, 2016 칸영화제 등에 초청되는 등 크고 작은 화제를 몰고 다닌 〈아가씨〉와 〈곡성〉이나 2016 영평상 최우수작품상 수상 등 주목할 만한 성취를 일궈낸 〈밀정〉 같은 경쟁작들이 버티고 있어서이기도 했지만, 감독의 전작 〈사도〉에 비해 흥행적으로나 비평적으로나 전폭적으로 인정 · 평가 받지는 못했기 때문이다. 120만에 근접한 흥행 성적이야 순제작비 5억 원이 들어간 저예산 영화치곤 큰 성공을 거둔 셈이어도, 수상 실적은 변변히 내세울 게 없는 게 현실. 감독 또한 필자와의 대담에서 "아마 문화 글을 다루는 잡지 《쿨투라》 등을 내는 출판사의 속성상, 윤동주 시인에 대한 존중으로 〈동주〉가 선정된 것이 아닐까 생각" 한다지 않은가.

영화는 그런데도 2016년 최고 한국 영화로 선택됐다. 뿐만 아니다. 목하 진행 중인 " '동주' 현상을 현재형으로, 실천적으로 끌어올리는 데 가장 기여한 주인공" (손정순)으로 자리매김 되어 있다. 손정순에 따르면 "이는 역사 앞에서 자신의 책임을 통감했던 동주가 최근 불안했던 정국과 맞물리면서 젊은 층에게 공감대를 불러일으키고, 취준생으로 패배와 좌절을 끊임없이 되풀이해온 그들이 다양한 문화콘텐츠를 통해 그들 나름의 방식으로 반응한 것이라고 볼 수 있다." 그렇다면 감독도 대담에서 역설한 작금의 어떤 시대성 내지 시대정신이 〈동주〉의 영예를 가능케 한 으뜸 변수 아닐까.

그 변수는 〈나, 다니엘 블레이크〉에도 고스란히 작동한다. 2016 칸영화제 황금종려상 수상 등을 통해 입증된 영화적 수준도 수준이지만 시대정신이 아니라면, 감독상을 비롯해 2017 제89회 오스카상 6관왕에 오른 화제작 〈라라랜드〉보다 더 큰 지지를 받은 이유를 떠올리기 쉽지 않기에 내리는 진단이다. 〈나, 다니엘 블레이크〉는 폭넓은 성원을 받기엔 이래저래 불리할 수밖에 없는 다양성 영화 아닌가. 다양성 영화로선 주목할 만한 성적이긴 해도, 3만7천여 명은 〈라라랜드〉의 340여 만에 비하면 초라한 수치 아닌가.

시대정신은 시민성이란 점에서도 연결되는 〈동주〉와 〈나, 다니엘 블레이크〉 두 편만을 연대시키는 것은 아니다. 시대성은 2017 오늘의 영화를 관통하는 키워드다. 각 10편과 11편이 최종 선택된 오늘의 영화들 목록을 봐도 그 점은 명백해진다. 한국을 대표하는 세계적 명장들인 홍상수(〈당신자신과 당신의 것〉)와 김기덕(〈그물〉)이나 '2016년의 발견적 문제작' 이라 해도 과언이 아닐 〈비밀은 없다〉 등을 '비 선택' 시키고, 〈우리들〉을 위시해 〈죽여주는 여자〉, 〈귀향〉, 〈무현, 두 도시 이야기〉 등 상대적으로 '소박한' 소품들을 선택케 한 다른 동인을 달리 끄집어 낼 자신이 없다. 2016 아카데미 최우수작품상 등을 거머쥔 〈스포트라이트〉나 2015 칸 심사위원 대상 등에 빛나는 〈사울의 아들〉 등 대신 〈다음 침공은 어디?〉나 〈오베라는 남자〉, 〈트럼보〉, 〈헝거〉 등을 품게 한 결정적 요인이 시대정신 아니고 그 무엇이 존재하겠는가? 21편의 오늘의 영화들만이 아니다. 시대성은 이준익 감독과의 대담 역시 관류한다. 〈동주〉의 텍스트 안팎을 자유롭게 오가며, 원심적으로 뿜어 나오는 필름메이커 이준익의 시대정신은 가히 압도적이다. 진영 논리를 넘어 이렇게 시대정신이 철저한 감독이 이 땅에 있는가, 싶기도 하다. "계획은 없고 그냥 하다 보니 된 것 같아요. 내 인생에서 계획대로 된 게 별로 없어요. 계획을 세우는 때 실패의 과정이 많았어요. 그래서 지금도 '감독으로서의 명확한 자긍심이 있는가?' 라고 물어보면 '없다!' 고 말할 수 있어요. 왜냐면 애초에 감독이 되고자 해서 된 게 아니고, 어찌하다 보니 얼떨결에 감독이 돼가지고…딴 거 할 것도 마땅히 없고 해서 하고 있다는 이상한 생각을 갖고도 있어요."라면서 말이다.

이 대담은 독자들은 물론 50년에 가까운 영화 즐기기에 35년의 본격적 영화 스터디 구력, 24년에 달하는 평론 경력의 내게도 유익한 배움의 자리였다. 그 동안 여러 차례 이준익 감독을 만났고 이러저런 대화는 주고받았건만, 필름메이커 이준익의 지적 · 인간적 깊이와 넓이, 활력 등에 내심 놀라지 않을 수 없었다. 여느 달변들과 달리 그의 달변은 허망한 지점이 없다. 크고 작은 자극들과 사유거리를 마구 던져준다고 할까. 정독을 '강권' 하련다.

정독은 각양각색의 리뷰들에도 향한다. '과욕' 에서일까 제시된 양적 제약을 초과한 리뷰들도 더러는 있지만, 그 속내를 읽어보면 그 이유가 확인될 것이다. 그 속내들도 다양할 대로 다양하다. 소박하다 못해 지나치게 무난한 리뷰들도 있으나, 전문가적 야심과 통찰들로 가득한 리뷰들도 있다. 그 외연이 그 어느 해보다 넓다. 그것은 필자의 외연을 한층 더 확장시켰으며 다양화시킨 결과일 공산이 크다. 내포의 심화와 외연의 확대는 향후로도 '오늘의 영화' 가 나아가야 할 방향이요 지향임에 틀림없다.

열두 번째 '오늘의 영화' 를 펴내면서, 이 자리를 빌려 이준익 감독를 비롯해 모든 필자들에게 큰 고마움을 전한다.

2017년 2월
기획위원을 대표해 전찬일

contents

_ 펴내면서

한국 영화

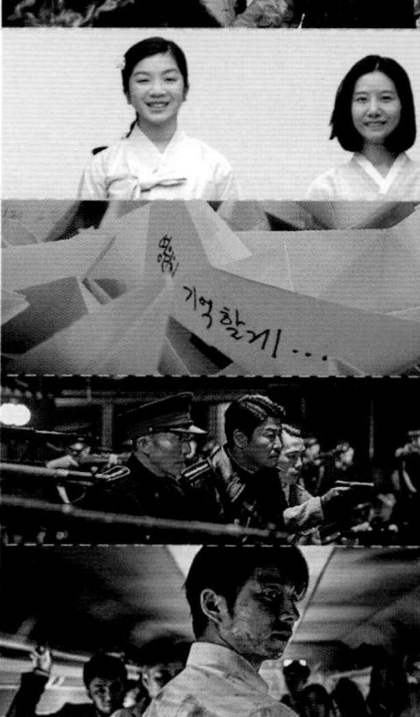

외국 영화

contents

한국 영화

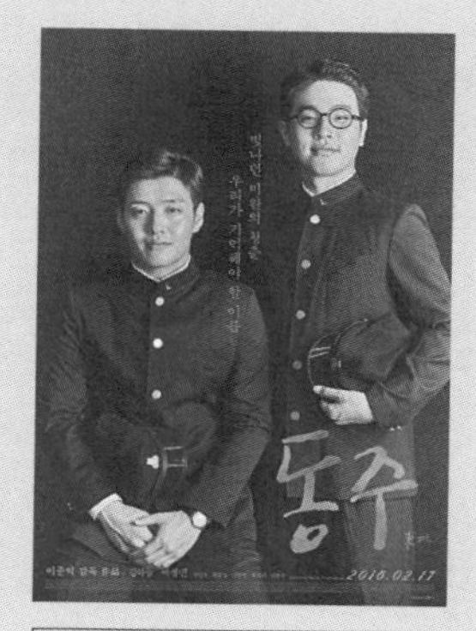

곡성

>>>나홍진 감독

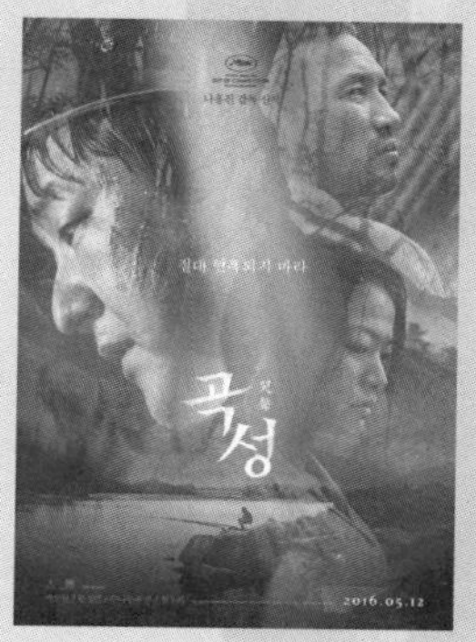

동주

>>>이준익 감독

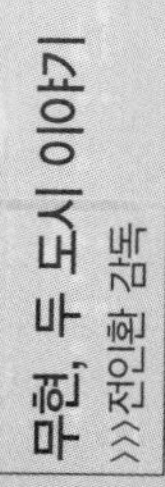

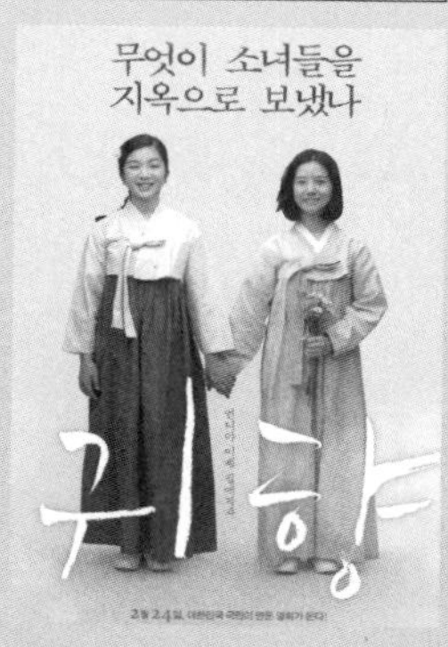

무엇이 소녀들을
지옥으로 보냈나
귀향

귀향

>>>조정래 감독

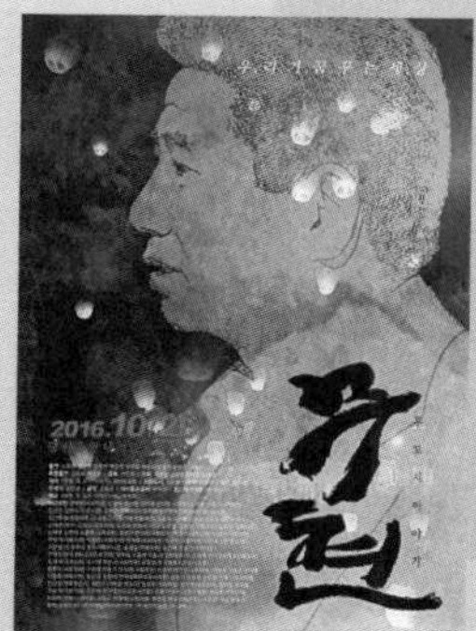

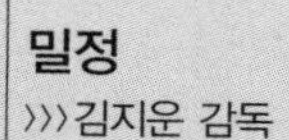

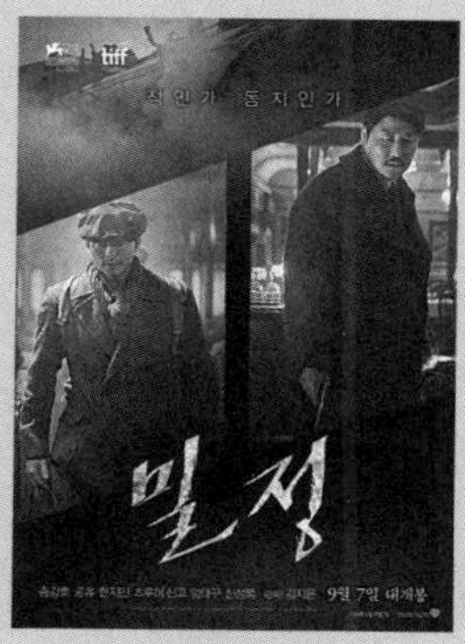

부산행

›››연상호 감독

아가씨

›››박찬욱 감독

한국 영화

우리들

›››윤가은 감독

아수라

›››김성수 감독

죽여주는 여자

›››이재용 감독

이준익 감독

동주

제작/ (주)루스이소니도스
감독/ 이준익
출연/ 강하늘, 박정민, 김인우, 최홍일, 김정팔, 최회서, 신윤주, 성홍일
각본/ 신연식
촬영/ 최용진
조명/ 이준일, 이시현
음악/ 모그
음향/ 이민섭
편집/ 김정훈

꼭 만들어졌어야 하는 영화가 좋은 감독과
탁월한 구성의 시나리오와의 결합으로 품격있는 작품으로 탄생했다.
때로는 통곡보다 속울음이 더 아프고 슬프다.
"잎새에 이는 바람에도" 괴로워했던 두 청년의
순수한 마음과 행동을 잘 보여준 영화
가슴을 울리는 미덕이 탁월하다.
자본보다는 주제와 인물.
송몽규 선생을 대중적으로 소개한 의미.
인물과 역사에 대한 영화적 재해석으로 현재와 과거가 대화하고 있다.
암울한 시대의 예술가의 고뇌를 그렸다.
단아한 흑백의 영상언어로 스크린을 가득 채운
날선 청춘의 심박동을 들을 수 있었다.
이준익의 최고작. 흑백으로 순수와 부끄러움을 담다.

— 추천위원의 선정이유 中

문화콘텐츠 '동주' 현상과 그 현재성

— 이준익 감독 〈동주〉

손정순

"동주야~" 스크린 속에서 세상 밖으로 울려퍼지는 이 이름은 영원히 늙지 않는다. 아직 "청춘이 다하지 않은" 그의 시처럼 .

탄생 100년을 맞아 윤동주를 역사적으로 기억하고 현재형으로 각인하려는 '윤동주 현상'이 다양하게 펼쳐지고 있다. 〈잊지 못할 윤동주〉(MBC TV)가 재방, 삼방 되고, 윤동주의 『하늘과 바람과 별과 시』 시집 원본은 물론, 『동주』와 관계된 시집, 소설집, 평전 등이 개정판으로 쇄를 거듭하며 인기를 누리고 있다. 그뿐이랴, 윤동주의 랩이 음원 사이트 1위를 차지하고, 뮤지컬과 연극 등 다양한 문화콘텐츠로도 인기를 누리고 있다.

스물여덟이라는, 활짝 피어보지도 못한 채 '잎새'로 져버린 윤동주가 2030 세대의 열렬한 지지를 얻으며 '청년들의 별'로 되살아나고 있는 것이다. 이는 역사 앞에서 자신의 책임을 통감했던 동주가 최근 불안했던 정국과 맞물리면서 젊은 층에게 공명을 불러일으키고, 취준생으로 패배와 좌절을

끊임없이 되풀이해온 그들이, 그들 나름의 다양한 문화콘텐츠를 통해 반응한 것이라고 볼 수 있다. 이 '동주' 현상을 현재형으로, 실천적으로 끌어올리는 데 가장 크게 기여한 주인공은 바로 '2017 오늘의 영화' 최고작으로 선정된 이준익 감독의 〈동주〉일 것이다.

우수한 영상콘텐츠를 통해 재해석

오늘날 대중문화의 일용할 양식으로 자리잡은 '영화'가 다양한 문화예술의 융합과 미학에 대한 콘텐츠로 나아가는 과정은 매우 특별한 경험이다. 그 중요한 사례로 〈동주〉의 성공에는 당연히 우수한 콘텐츠(시, 시나리오)가 있었다. 우수한 콘텐츠란 대중을 감동시킬 수 있는 것으로, 특히 영화 콘텐츠의 경우 단순히 좋은 영상을 넘어 원작과 시나리오, 음악, 연출, 제작에 이르기까지 중독성과 패러디하고 싶은 매혹이 필요한 것이다.

윤동주는 대한민국 국민이 가장 사랑하는 시인이다. 그는 1917년 북간도에서 태어나 연희전문학교를 졸업하고 일본으로 건너간다. 일본 유학생활 중 독립운동에 가담했다는 이유로 체포되어 후쿠오카의 차가운 감옥에서 숨을 거뒀다. 부끄러움을 알기에 "한 점 부끄럼 없는 삶"을 살기를 바랐던 시인 윤동주! 그는 힘든 고초를 겪으면서도 끝까지 변절하지 않았고 27년 2개월이 채 못 되는 짧은 삶을 마감했다. 시(예술)란 자아를 떠나서는 존재할 수 없기에 냉혹한 죽음과 독대하면서도 끊임없이 시를 썼던 그의 정신은 그가 부재하는 오늘에도, 그를 연신 지금 여기에 불러와 현존케 하는 강력한 힘을 발휘한다.

〈동주〉 시나리오를 쓰고 제작까지 맡은 신연식 감독은 그동안에도 많은 작품들을 감독하거나 제작하고 각본을 썼지만 그가 유일하게 돈을 벌고 대중적인 성공을 거둔 작품은 바로 〈동주〉이다. 대체로 상업영화들이 20억 정도의 예산을 기본적인 규모로 상정하고 있는 현실에서 〈동주〉는 고작 5억 원의 제작비로 만들어졌다. 그는 꽤 많은 작품들을 스스로 쓰고 감독하고 제작했기 때문에 제작비를 최적화하는 노하우를 갖고 있었으며, 〈동주〉가 성공할 수 있었던 것 역시 그 최적화된 제작 덕분이라고 말했다. 〈동주〉라는 영화가 더 가치 있게 다가오는 것은 이 영화콘텐츠의 성공으로 인해 이제 우리도 5억 원의 규모로 대박은 아니어도 중박을 낼 수 있는 영화들이 가능할 수 있는 제작과 투자 시스템을 대변할 수 있게 되었기 때문이다. 이것은 신연식 감독이 말하는 이른바 '중박 영화론'이 영화콘텐츠의 다양성 차원에서도 또 투자 대비 수익의 관점에서도 중요하게 다가오는 것이다.

연출을 맡은 이준익 감독은 이 영화를 흑백으로 만든 것에 대해 "컬러는 윤동주를 현재로 불러오는 듯한 느낌인 반면 흑백은 현재의 우리가 그 시대로 가게 되는 것이기 때문에 윤동주는 그 자리에 있는 것이 맞다"고 밝힌 바 있다. 그랬다. 영화 속에서 윤동주는 그냥 거기에 있었고 현재의 우리가 냉혹했던 그 시대, 그에게로 가고 있었다.

영화 상영 내내 독백처럼 읊조려지는 그의 시편은 한 권의 흑백시집처럼 펼쳐졌으며, 식민지 청년 시인 동주(강하늘)는 태어나서부터 죽음을 맞이할 때까지 잎새에 이는 미세한 바람에도 괴로워했다. 섬세한 영혼의 소유자, 에큐메니컬ecumenical 세계를 지향했던 그의 일대기가 스크린을 통해 재조명된 것이다.

이준익 감독은 "윤동주는 당대에는 빛을 발하지 못했으나 그의 시는 대대손손 교과서에도 실릴 정도로 오래오래 남아있다. 그러나 송몽규는 일제강점기에 열심히 앞장서 싸웠으나 결국 이름 하나 남기지 못한 사람"이라 안타까웠다고 말한다. 그래서일까 이 영화를 보고나면 '몽규'가 존재하지 않는 윤동주는 더이상 상상할 수가 없게 된다. 시(문학)가 우수한 영상콘텐츠를 통해 재해석되고 확장되어지는 쾌거로 볼 수 있다.

존재의 자유와 평등 세상을 지향한 시민 윤동주

윤동주가 태어나고 유년 시절을 보낸 북간도(명동촌)는 신학문과 기독교를 받아들인 독립운동의 기지였다. 함경도 유학자들이 집단으로 이주하여 마을을 형성하고, 새 민족공동체를 실현하기 위해 학교를 세워 교육에 힘을 쏟으며, 집단으로 기독교로 개종한 후 놀라운 삶의 변화를 체험한 곳이다. 처음에는 순연한 유학문화를 지닌 마을이었는데 그런 문화는 1909년 명동마을에 기독교가 들어오면서 의식의 근본부터 바뀌는 전혀 다른 문화 현상이 일어난 것이다. 이런 시기가 20년간 계속된 뒤 1929년부터 명동마을이 공산주의에 침윤된 시기가 시작되었다. 〈동주〉 영화는 이 시기부터 시작하여 1945년 죽음을 맞이하는 마지막 순간까지를 보여준다. 삶 자체를 본질에서부터 다른 모습으로 전환시켜버린 이 현상은 "시간적으로는 시대상황이 직접 잉태하여 빚어낸 것이었고, 공간적으로는 외국 땅에 뿌리를 내린, 늘 광복을 꿈꾸는 망국인으로서의 위상이 일구어낸 것"(송우혜, 『윤동주 평전』)이다.

윤동주에게 "북간도는 바로 '기독교공동체'였고, 그곳은 모든 것이 불가능하다고 선언된 삶의 낭떠러지에서 민중들에게 새로운 '사건들'을 가능하게 한 공간"(김치성, 『윤동주 시 연구』)이다. 새로운 문화의 정체성이 시작되는 '제3의 공간'이요, '가능성을 지닌 공간'이라는 것이다. 다시 말해 공동체적인 삶을 지향했던 특수한 문화(북간도 명동) 속에서 성장한

그는 원천적으로 존재의 자유와 평등을 지향할 수 밖에 없는 근대 시민이었던 것이다.

아름답고 쓸쓸한 모든 이의 이름 〈동주〉

국제법에 대강 끼워맞춰서 자발적인 듯 진술서를 받으면 문명이고, 그런 것조차 모르는 무지한 조선인은 야만이라고, 고등형사 특구(김인우)의 취조를 받는 그 순간에도 "주어진 길"을 꿋꿋하게 걸어가는 동주(강하늘)의 시정신은 흔들리지 않았고 변함이 없다. 몽규(박정민)도 마찬가지다. 두 청년은 미완이었지만 평생을 자신이 뜻하는 길로 다가가고자 애썼다. 그들의 꿋꿋하고 순결한 청년 정신이 2030 세대들에게까지 다시 살아나, 현재의 우리가 더 좋은 세상을 꿈꾸게 하는 것이다.

영화에서 비춰지는 동주 캐릭터는 몽규 캐릭터에 비해 수동적이다. 몽규는 영화 내내 '동주'를 호명한다. 서로에게 흠집이 되는 날선 대화를 나눈 직후에도, 먼저 신춘문예에 당선되었을 때도, 몽규는 동주가 상심하지 않도록 배려하는 인물이다.

"시를 쓰기만 하면 뭘 하니 발표를 해야지." 그는 시를 꽁꽁 매어두는 동주에게 직접 잡지를 만들어 발표하자고 제안한다. 이처럼 북간도에서 함께 나고 자란 동갑내기 사촌지간이지만 몽규와 동주는 서로 다르다. 하지만 경쟁하되 선을 넘지 않으면서 서로의 미덕과 다양성을 존중하려고 노력한다. 질투를 느낄 만큼 이른 나이에 신춘문예에 당선된 몽규는 산문의 힘으로 현실의 벽을 이끌어내는 것을 중요시한다. 반면 동주는 시, 그 영혼의 울림으로 사람의 마음을 움직이는 것을 중요시한다. 시집도 내지 않고, 등단도 하지 않았지만 몽규에게 동주는 늘 자랑스러운 '윤 시인'이다.

영화의 엔딩 크레딧이 올라가고, 강하늘(동주 역)이 부르는 영화 ost 〈자

화상〉이 담담히 울려퍼지면, 몽규에 대한 이준익 감독의 끝없는 애정에도 불구하고 제목을 왜 〈동주〉라고 붙였는지 알 것 같다. 극장을 빠져 나오면, 우리는 윤동주 시인, 송몽규 문사(투사)가 아니라 동주, 몽규, 이렇게 그들의 이름을 친구처럼 부르게 된다. 아득한 북간도 용정 땅에 잠들어 있는 그들이 가깝게 느껴진다. 〈동주〉는 시인 윤동주만을 지칭하는 것이 아니라 동주야, 하고 부르던 몽규의 목소리와 그 시절을 함께 고민한 벗들과 영원히 사라질 뻔한 그의 시집을 출간해 준, 잊혀져간 모든 이들의 아름답고 쓸쓸한 이름인 것이다. 이처럼 〈동주〉에는 스크린에 비춰진 그 흑백색의 논리를 넘어서, 보이지 않는 또 다른 내면의 숭고함을 읽어내라는 일침이 담겨있다.

북간도 공동체에서 동아시아를 넘어, 세계로

그렇게 우리는 북간도가 아닌 '지금 여기'에서 동주를 부르며, 광장의 '촛불'로까지 번지는 청춘의 아름다운 정신을 추억하고 있다.

유성호 교수는 "윤동주는 지금의 중국 땅에서 태어나 지금의 북한(숭실중학)과 남한(연희전문)에서 공부하고 일본(릿쿄대학, 도시샤대학)에서 유학하였으니 그야말로 동아시아 전체에 걸친 공간 편력"을 가지고 있고 "한중일에 시비가 세워진 유일한 시인"이며, "윤동주를 통해 '북간도-평양-서울-도쿄-교토'라는 공간 확장"의 기억 단위를 가질 수 있다고 말한다. 윤동주의 현재성이 이러한 "동아시아적 공간 확장성"에서 온다는 그는 "윤동주 시가 '일본어-조선어'의 갈등을 넘어 조선어의 존재증명에 바쳐진 결과"라고 밝혔다.

그래서일까. 며칠 전 정지용과 윤동주의 시비가 나란히 세워져 있는 도시샤 대학을 방문했을 때, 기모노를 입은 일본 여성이 윤동주 시비에 꽃을 헌화하는 모습은 과히 감동적이었다. 송우혜 작가는 "영화 〈동주〉를 본 뒤 윤동주 관련 서적을 찾아 읽기 시작했다는 편지를 여러 통 받았다" 면서 "콘텐츠의 수준과 상관없이 윤동주라는 관문에 들어서는 계기를 마련해 준다는 점에선 긍정적" 이라고 말했다.

특히 '윤동주 콘텐츠' 가 다양해지면서 대중과 접점이 점차 넓어지고 있는 올해는 그의 탄생 100년을 맞는 해이다. 극장가는 1년 전 개봉했던 영화 〈동주〉의 재개봉을 준비하고, 일본, 중국뿐만 아니라 뉴욕과 런던, 해외의 크고 작은 도시에서도 우리 가슴 한 켠 남아있는 '하늘과 바람과 별과 시' 가 된 시인을 다시 호명한다. 이처럼 영화 〈동주〉는 우수한 콘텐츠로 살아남아, 우리 사회의 현재를 설명하고 미래를 전망하는 중요한 문화 현상이 되었다.

이러한 문화콘텐츠의 '동주' 현상이 세계 문화산업으로까지 나아가기 위해서는 영화 〈동주〉를 초국적 문화 수용으로서의 텍스트이자 글로벌 문화와 로컬 문화가 서로 만나 공명하고 통섭해나가는 노력이 꾸준히 이루어져야 할 것이다.

존재의 화해와 일치를, 자유와 평등 세상을 지향했던 영화 〈동주〉가 북간도를 넘어, 한중일 경계를 넘어, 이제 드넓은 세계 속의 문화콘텐츠로 뻗어나가길 기대해 본다.

손 정 순 __ more-son@hanmail.net

고려대학교 국문과 박사과정 졸업. 2001년 《문학사상》으로 등단. 시집으로 『동해와 만나는 여섯 번째 길』, 저서로 『흰 그늘의 미학, 김지하 서정시』 『목월 詩의 현대성』 『문화예술 현장에서 통섭적 글쓰기』 등이 있음. 《쿨투라》 편집인.

곡성

제작/ 사이드미러,
폭스 인터내셔널 프러덕션
감독/ 나홍진
출연/ 곽도원, 황정민, 쿠니무라 준,
천우희, 김환희, 허진,
장소연, 김도연
각본/ 나홍진
촬영/ 홍경표
조명/ 김창호
음악/ 장영규, 달파란 강기영
음향/ 박용기
편집/ 김선민

나홍진 감독

〈곡성〉은 전례를 찾기 힘든 토종 오컬트 무비이자, 종교에 대한 가장 본질적인 질문을 던지는 영화이다. 영화는 농촌스릴러의 외피를 통해, 세계 전체를 인식할 수도 없으며 누구의 말도 끝까지 믿지 못하는 인간의 한계를 보여준다. 믿음에 대한 성경의 문구를 통렬히 뒤집으며 지독한 신성모독을 감행하는 결말은 무시무시한 패기와 에너지가 느껴진다.

파괴적인 에너지의 향연, 한국영화의 신천지를 보여준다.

한국영화에서 쉽게 볼 수 없는 경지라 할 수 있다.

나홍진이기에 가능한 작가주의적 호러. 탄탄하면서 신선하다.

서스펜스를 끝까지 밀어붙이는 힘이 놀랍다.

낯설음에 대한 집중이 대단하다.

부모의 성관계를 훔쳐본 죄(금기)로 벌을 받게 된 소녀와 그녀를 용서하려는 소녀(여귀)를 통해 근대적 가족체계의 괴이함을 잘 재현한 영화다.

— 추천위원의 선정이유 中

믿음과 의심이라는 뫼비우스의 띠

— 나홍진 감독 〈곡성〉

임정식

"희생자는 왜 희생자가 되었나?" 〈곡성〉의 시사회에서 나홍진 감독이 밝힌 연출 의도이다. 나홍진은 "희생자는 어떤 이유로 희생됐는지 묻고 싶었다."라고 말하고, 신의 섭리와 위로라는 단어를 꺼냈다. 어떤 인물이 희생자가 된 것은 논리적으로 설명할 수 없다. 그들을 위로하고 싶다는 것이다. 그리고 나홍진은 '미끼론'을 던졌다. 낚시꾼은 낚시할 때 어떤 물고기가 미끼를 물지 알 수 없다. 낚시꾼은 불특정의 물고기를 향해 미끼를 던지는 것이다. 영화는 프롤로그에 해당하는 외지인(쿠니무라 준)의 낚시 장면과 무당인 일광(황정민)의 대사를 통해 희생의 배경을 설명한다. 상황이 이렇다면, 희생자는 아무리 억울해도 어찌할 방법이 없다. 자신의 운명을 탓할 수밖에 없다. 그러나 희생의 무작위성이 신의 섭리인지는 알 수 없는

일이다. 〈곡성〉을 보면 꼭 그런 것 같지도 않다. 희생자들에게는 어떤 공통점이 있기 때문이다. 이 영화가 어떠한 잘못도, 이유도 없이 희생당한 자에게 건네는 위로라면, 그것이 얼마나 효과적일지는 의문이다. 게다가 영화는 모호함으로 가득하다. 인물의 성격이나 역할, 그들의 상호 관계는 각각 두세 가지로 해석 가능하다. 영화의 내용, 주제, 결말에 대해 그토록 많은 담론이 쏟아진 이유이다. 어찌 보면 맨손으로 구름을 움켜쥐려는 것만 같다.

그럼에도 불구하고, 〈곡성〉은 기이하고 매혹적인 영화이다. 서사의 그물에는 분명히 구멍이 뚫려 있는데(사건 하나하나를 따져보면 인과 관계에 문제가 있는 부분이 꽤 많다), 〈곡성〉은 그 허술한 요소들까지 뭉뚱그려서 끌어안고 휘몰아친다. 형체가 없는 것들을 불러 모아서 그들에게 뼈

와 살을 입혀 역동적인 이야기로 만들어 낸다. 굿판의 속성이 이와 비슷하다. 시끌벅적하고 혼란스럽고 다이내믹한데, 다 끝나고 나면 무슨 일이 있었는지 잠시 혼미한 상태가 된다. 그렇다면 〈곡성〉이라는 영화가 한바탕 굿판일 수 있겠다. 이는 좀처럼 보기 드문 장관이다. 섬세함과 매끈함 대신 투박함과 묵직함으로 서사를 밀고나가는 힘은 거대 육식 동물의 질주를 보는 듯하다. 좀비, 오컬트, 샤머니즘, 엑소시즘과 같은 낯선 영토를 펼쳐 보인 것도 새로운 시도로 평가할 만하다. 〈곡성〉은 감독의 제작 의도보다 더 넓은 차원에서 힘차게 펄떡거린다. 그 배경에는 믿음과 의심이라는 미끼를 덜컥 삼킨 자들의 팽팽한 줄다리기가 있다. 영화 포스터가 말하듯, 단순한 의심 혹은 현혹의 문제를 초월한다.

〈곡성〉은 〈추격자〉와 〈황해〉의 연장선상에 있는 영화이다. 나홍진의 장기인 장르영화의 긴장감이 스크린에 흥건하다. 한 사건이 발생하고, 누

군가가 범인을 쫓고, 그 긴박한 과정에서 당대 사회의 부조리를 드러내는 것도 닮았다. 그런데 〈곡성〉은 현실사회를 직접 겨냥하기보다 조금 더 근원적인 곳을 탐사한다. 믿음과 의심, 과학, 종교와 같은 추상적인 화두를 던진다. 준구는 처음에 재앙의 원인을 버섯이라고 생각한다. 버섯의 성분을 분석한 과학에 대한 믿음이다. 준구는 곧이어 외지인이 범인이라고 의심한다. '일본 사람이 범인일 리가 없다' 에서 '그놈이 범인이다' 는 확신으로 바뀐다. 모든 불행은 이 의심에서 비롯된다. 준구는 외지인이 머무는 산속 폐가의 사진이나 효진의 두드러기가 증거라고 믿는다. 그러나 확실한 물증은 없다. 일광이 준구의 딜레마를 해결해 준다. 일광은 그 외지인은 귀신이라고, 악령이라고 단언한다. 준구는 악령을 퇴치하기 위해서 일광을 불러 굿을 한다.

이쯤에서 영화가 끝났다면, 무명이 굿을 하면서 살煞을 날려 외지인을

죽였다면, 그래서 해피엔딩으로 끝났다면, 〈곡성〉은 그저 그런 영화가 됐을 것이다. 그러나 〈곡성〉의 진수는 이 시점부터 시작된다. 준구는 갑자기 굿을 중단시킨다. 그는 딸의 고통스러운 몸부림을 끝까지 지켜보지 못한다. 이 지점에서 일광에 대한 의심이 버섯처럼 피어난다. 준구는 "그 새끼가 귀신인지 아닌지 내가 직접 봐야겠다."면서 사람들을 데리고 외지인의 집을 습격한다. 준구는 믿음과 의심 사이를 오락가락하는 과정에서 미궁에 빠진다. 준구의 딜레마는 결말에서 절정에 달한다. 무명(천우희)은 준구에게 닭이 세 번 울기 전에는 집에 들어가지 말라고 말한다. 그렇지 않으면 가족이 모두 죽는다고 경고한다. 이 순간, 일광이 준구를 재촉한다. 무명은 악마이고, 빨리 집에 가지 않으면 큰일난다고 말한다. 누구를 의심하고 누구를 믿어야 하나? 준구는 혼란스럽다. 준구는 일광을 의심하는 상태이다. 무명은 정체가 의심스러운 인물이다. 그래서 무명에게 "도대체 니 정체가 뭐냐?" 고 되풀이해서 묻는다. 준구가 무명을 믿고 그 길을 따라가면 일광에 대한 의심과 만난다. 반대로 일광을 믿고 그 길을 따라가면 무명에 대한 의심과 만난다. 믿음과 의심은 뫼비우스의 띠처럼 연결돼 있다.

준구의 선택은 이해할 만하다. 준구에게 무명은 모호한 존재이다. 사람인지 귀신인지 불분명하고, 우호적인지 적대적인지도 알 수 없다. 일광을 단숨에 제압할 정도로 영적 능력이 뛰어나지만, 그 능력을 발휘해서 준구나 마을을 지켜주는 것도 아니다. 단지 담벼락에 기대어 앉아 슬퍼할 뿐이다. 외지인의 모호함은 한층 심하다. 그는 사령死靈으로 불리지만, 엄연히 육체를 지닌 살아 있는 인물이다. 고라니의 내장을 뜯어먹을 때는 원시인이나 짐승처럼 보인다. 하지만 가톨릭 부제副祭에게 일갈할 때는 영적인 존재가 된다. 외지인은 부제의 속마음을 꿰뚫고 있다. 부제는 이미 자신을 악마라고 확신하고 있기 때문에 자신이 누구인지 아무리 말을 해도 믿지 않는다는 것이다. 그러자 부제는 두려움에 떨고, 외지인은 붉은 악마로 변한다. 이 동굴 시퀀스에서 카메라는 외지인의 손바닥에 뚫린 구멍을 보여준다. 외지인이 죽음에서 부활한 직후이다. 심지어 외지인은 예수와 같은 존재로 묘사된다. 프롤로그의 누가복음 인용 구절과 외지인이 육성으로 들려주는 내용은 똑같다. '왜 나를 의심하는가?' 하는 것이다. 이처럼 〈곡성〉의 인물과 플롯은 모호하고 중의적이다. 그래서 해석의 혼란이 발생한다. 〈곡성〉의 모호함은 어디까지가 의도된 것인가, 플롯의 문제인가 아니면 표현 기법의 차원인가. 이 모호함에 대한 판단과 해석은 〈곡성〉에 대한 평가와 연결된다.

〈곡성〉이 전작들과 다른 점은 대략 두 가지이다. 첫째, 인물 관계와 서사 전개가 방사형으로 바뀌었다. 〈추격자〉는 엄중호와 지영민, 〈황해〉는

김구남과 면정학의 추격전이 뼈대를 이룬다. 두 영화에서 쫓는 자와 쫓기는 자의 동선과 인물 구도는 직선적이다. 쫓는 자는 눈앞에 보이는 자를 잡기 위해 무조건 죽어라고 뛴다. 그래서 달리는 장면이나 카체이싱이 빈번하게 등장한다. 〈곡성〉에서는 준구가 표면상 쫓는 자이다. 하지만 그가 쫓는 것은 사실상 형체가 없는 것이다. 외지인이 재앙의 원인이라는 의심은 소문에서 나온 것이다. 효진의 실내화도 심증을 강화해 줄 뿐, 확실한 물증은 아니다. 또한 추격의 과정이나 대상자들의 관계도 단선적이지 않다. 심리적으로 보면, 쫓기는 자는 오히려 준구이다. 여기에다 주요 인물인 준구와 외지인, 무명—일광—외지인, 준구와 무명의 관계는 거미줄처럼 얽히고설켜 있다.

둘째, 〈곡성〉은 추상적이다. 〈추격자〉와 〈황해〉의 주인공은 자신이 데리고 있던 창녀를 유괴한 놈, 아내와 바람을 피운 놈을 잡는 것이 목적이다. 두 영화의 추격 대상은 물질적이다. 〈곡성〉의 사건은 외지인을 죽인다고 종결되는 것이 아니다. 게다가 쫓는 자가 도리어 파국을 맞는다. 〈곡성〉은 종교적인 요소가 많다. 무속신앙, 천주교, 일본 토속신앙과 관련돼 있다. 그런데 어느 종교도 완벽한 해답을 제시하지 못한다. 대중영화로서의 장르적 쾌감을 유지하면서 이만큼 추상적이고 복합적인 테마를 역동적으로 다룬 작품을 만나는 것은 매우 드문 일이다. 이는 〈곡성〉의 부분적인 빈틈을 충분히 메워 주는 장점이다. 이것을 가능하게 한 요인의 하나는 폭발적인 에너지이다.

〈곡성〉에는 원시적인 에너지가 흘러넘친다. 살아서 꿈틀거리는 그 에너지는 혀를 날름거리며 관객의 마음을 송두리째 빨아들인다. 일광의 굿, 외지인의 의식, 효진의 몸부림이 교차 편집된 굿판 시퀀스는 이 영화의 절정이다. 빠른 템포로 연주되는 타악기 소리, 횃불과 촛불, 괴성과 기성, 일광의 칼춤, 효진의 몸부림 어우러져 엑스타시를 선사한다. 쇼트의 길이와 명암, 시각과 청각 등을 자유롭게 변주하며 리듬을 만들어 가는 이 시퀀스의 흡인력은 감탄할 만하다. 인물과 소리와 이미지가 뿜어내는 에너지가 워낙 압도적이어서 일광과 외지인의 어긋난 갈등마저 휘발시켜 버린다. 〈곡성〉은 일광이 벌인 굿판의 불꽃처럼 너울거리며 관객의 마음을 휘어잡는다. 스릴러의 대중적인 재미, 믿음과 의심이라는 추상적이고 종교적인 테마, 엑소시즘과 같은 새로운 요소를 효과적으로 버무려 역동적으로 표현해 낸 솜씨는 2016년 한국영화계의 주목할 만한 수확이다.

임 정 식 _ dada8847@naver.com

고려대 국문학과와 동대학원 문예창작학과 졸업. 공저로 『스타 이미지 탐구1 장동건』 『스타 이미지 탐구2 김혜수』가 있음. 영화평론가, 고려대 강사.

조정래 감독

귀향

제작/ 제이오엔터테인먼트
감독/ 조정래
출연/ 강하나, 최리, 손숙, 황화순, 정무성, 서미지, 류신, 임성철
각본/ 조정래
촬영/ 김상협
조명/ 박주현
음악/ 함현상
음향/ 김석원
편집/ 박민선

무엇이 소녀들을
지옥으로 보냈나
귀향

〈귀향〉은 진실을 봉합하려는 정보의 시도를 무산시키는
문화적 반란 같은 영화이다.
아픈 역사를 환기시키지만 선동적이기보다는 시적이며,
함께 아픔을 나눔으로써 위로한다. 진혼곡이자 제의인 영화다.
불편하지만 직면해야 하는 진실을 통해
우리를 기억하게 하는 영화로 시대의 아픔을 잘 표현했다.
지성감천! 돈이 없어 영화를 만들지 못한다는 말을
쏙 들어가게 한 감독의 영화, 그리고 소셜 펀딩의 영화다.

— 추천위원의 선정이유 中

역사와 성별, 민족을 넘어서서 문제화하기

— 조정래 감독 〈귀향〉

임대근

울지 말아야 할 책무

나는 울었다. 그러나 눈물을 흘리지는 않았다. 영화는 내게 가슴으로만 슬퍼해야 할 책무를 부여했다. 정민을 온전히 집으로 돌아오게 하기 위해서라면 울음을 보여서는 안 된다. 울지 말고 주먹을 불끈 쥐어야 한다.

정민은 돌아왔으나 이는 관객을 위로하기 위한 영화적 장치일 뿐이다. 모녀와 부녀의 해후는 역사가 아니라 상상의 위로였다. 현실의 아버지는 "밥 묵으라"고 아무 일 아니라며 툭툭 털어내듯 딸을 맞지 못했다. 역사 속 정민은 돌아오지 못했다. 낯선 만주 벌판의 사람들은 세상을 떠나는 정민에게 마지막 예의마저 제대로 갖추지 못했을 것이다. '귀향' 은 그런 정민을 위한 의례다.

푸릇푸릇 싱그러운 강산, 그보다 더 순결한 소녀가 짓밟힌 것은 분명 민

족의 역사였다. 그 역사는 이제 우리의 현실이 됐다. 철없이 아리따웠던 소녀의 삶은 다시 돌아와 우리 자신의 아프고 무거운 삶이 됐다. 영화는 그런 초월의 문제를 다룬다.

이것은 과거의 이야기이자 현재의 이야기이다. 이것은 역사의 이야기이자 동시대의 이야기다. 그러므로 이야기는 시간과 세대를 초월하는 방식으로 전해져야만 한다. 이것은 여성의 이야기이자 남성의 이야기다. 그러므로 이야기는 성별을 초월하는 방식으로 전해져야만 한다. 이것은 민족의 이야기이자 세계의 이야기다. 그러므로 이야기는 민족을 초월하는 방식으로 전해져야만 한다. 역사와 성별, 민족을 초월하는 이야기가 돼야만 정민이가 우리 앞에 다시 돌아올 수 있는 힘을 갖게 된다.

역사를 현재화하기

영화는 역사를 재현하는 방식을 택한다. 그러나 역사 속에서조차 끝나지 않은 미완의 이야기에 대한 책무를 짊어진 영화는 이를 동시대적 문제로 환기하면서 영화적 해결을 전개해야만 했다. 과거와 현재, 역사와 현실을 이어주는 중요한 이음과 매듭이 필요했다.

괴불노리개는 중요한 이음이자 매듭 중 하나다. 어린 소녀들의 장난감이자, 반드시 몸에 지니고 있어야 한다는 노리개는 먼 훗날 정민과 영옥을 만나게 하는 매개가 된다. 소녀 영옥은 자신이 지키지 못했던 노리개 만드는 일을 평생의 업으로 삼는다. 그럼으로써 소녀 시절 자신의 몸에서 떨어져 나가 버린 노리개를 다시 붙여 주는 일을 감당하게 된다.

1943년 경상남도 거창의 열네 살 정민은 중국의 길림성 목단강으로 끌려간다. 신발 공장에 일을 하러 가는 줄 알았던 소녀들은 처참한 지옥으로 내던져진다. "여기가 어디에요?"라고 묻는 소녀의 물음은 자기 존재의 좌표를 잃어버린 불안한 내면의 소리다. 그렇게 불안한 영혼을 다시 집으로

돌아오게 하기 위해 영화는 'Spirits' Homecoming' 이라는 영어 제목을 붙인다. 동시에 영화는 1991년 양평 두물머리의 이야기다. 영화는 고 김학순 할머니가 최초로 일본군 위안부 피해 사실을 증언한 때를 기리기 위해 1991년으로 우리를 데려간다. 그러나 이것은 영화가 만들어진 2015년, 세상에 선보인 2016년, 그리고 여전히 지금 2017년의 이야기다.

영옥과 정민의 해후야말로 역사를 현재화하는 절정의 장면이다. 이를 위해 영화는 은경을 등장케 한다. 신기가 있는 은경은 굿을 통해, 영혼과의 대화를 통해 오늘의 시간으로 찾아온 정민을 현현케 한다. 은경의 굿은 떠난 자를 다시 불러들이는 장치다. 우리 겨레의 관습이 보여주듯, 굿은 떠난 사람과 남은 사람을 연결함으로써 그들 사이의 화해를 주선한다. 화해를 통한 씻김과 진혼, 위로의 의례가 이어진다. 역사 속에서 정민과 함께 돌아오지 못했던 오늘의 영옥은 정민과의 해후를 통해 서로의 삶과 죽

음을 위로한다. 영화는 영옥의 삶과 정민의 삶을 교차 편집함으로써 역사를 현재화한다.

성별과 민족을 초월하기

위안소에서 징집당한 자신의 오빠를 만나 미쳐 버린 소녀의 모습은 이것이 여전히 성별적 문제임을 보여준다. 상상할 수 없는 충격과 반전은 소녀의 삶을 광기로 내몰 수밖에 없었을 것이다. 그러나 거기에 멈춰서는 안 된다. 이것을 단지 성별의 문제로만 환원해서는 안 된다.

은경의 등장은 이 영화가 역사 속 '위안부' 사건을 보는 또 다른 중요한 관점을 제시하고 있음을 보여준다. 은경은 역사와 세대를 초월하는 주인공일 뿐만 아니라 이것이 여성의 문제이자 동시에 남성의 문제임을 부각한다. 의지를 거슬러 폭행을 당한 은경과 이를 막아서다 죽음을 맞은 아버지라는 존재는 영화가 말하는 역사적 사건이 세대를 초월하는 성별적 문제이며, 동시에 성별을 초월하는 여전한 사회적 문제임을 드러낸다.

그들은 세상을 '조센진' 과 '천황의 군대' 로 나누었다. 이것은 물론 제국과 식민의 문제이자 민족과 민족의 문제이다. 나라의 영혼과 겨레의 영혼은 일그러지고 상처 입었다. 그러나 영화는 다시 말한다. 같은 일본군이면서도 인간적 연민과 사랑을 가졌던 순수한 '인간' 이 거기에도 있었노라고 말이다. 결국 자신의 상사에게 총살당하고마는 병사 다나카의 죽음은 이것이 민족을 넘어서는 이야기라고 웅변한다. 영화는 그의 양심적 소신을 보여줌으로써 민족의 원한이라는 틀을 깨부순다.

물론 이것은 가학과 피학에 관한 이야기다. 그 가학과 피학의 관계가 가장 강력한 힘을 가진 자와 가장 힘없는 어린 자들 사이에 설정될 때, 우리의 분노는 솟구치게 된다. 식민 지배자의 군인과 피식민자로서의 어린 소녀는 모든 권력을 가진 자와 아무런 힘도 없는 존재 사이의 대결이다. 총칼을 든 '군인' 이 그저 치마저고리만 입고 있는 가녀린 소녀에게 가하는

폭력이야말로 가장 잔인하고 비극적인 장면을 목도하게 한다. 모든 것을 가진 자의 아무 것도 가지지 않은 자에 대한 폭력이기 때문에 그렇다. 군의관의 가위가 정민의 치마를 찢을 때, 그 폭력의 상징은 가시화된다.

분명한 권력 관계 속에서 자행된 집단 폭력은 지옥과도 다름없다. 그것은 개인의 일탈이 아니다. 영화는 지옥과도 같은 장면을 보여주기 위해 화면 비율을 바꾸어 위안소의 '구조'를 부감으로 촬영한다. 연약한 자들을 저항할 수 없는 공간 속으로 밀어 넣고 벌인 폭력의 미치광이 놀음을 보면서 우리는 그 아픔에 목이 멘다.

"이제 집으로 가자"

역사와 현실, 성별과 민족을 초월하며 우리에게 깊은 울림을 준 영화는 말한다. "이제 집으로 가자." 그러나 정민이 집으로 돌아오는 여정은 아직 끝나지 않았다. 집으로 돌아와 부모님과 해후하고 편히 쉴 수 있기까지 우리는 아직 숙제를 마치지 못했다. 그 숙제를 위해 우리 모두는 '공모자'가 되었다. 73,164명의 '공모자'. 공모자들은 이제 이렇게 말해야 한다. "언니야 이제 고마 나와도 된다."

'공모자'들인 우리 모두 괴불노리개를 붙잡고, 소녀의 손을 함께 잡고, 할머니들의 손을 부여잡자. 그리고 역사를 넘어선 현실, 성별과 민족을 넘어선 구조를 부숴야 하는 숙제를 마칠 때까지 울지 말아야 한다.

임 대 근 _ dagenny@daum.net

한국외국어대학교 교수. 중국영화포럼 사무국장. 중국영화, 대중문화, 문화콘텐츠연구 등에 관심을 갖고 강의, 연구, 번역 등의 작업을 수행하고 있음. 한-중 영화의 초국적 교류와 상호 관객성 문제에 관심을 갖고 있음.

전인환 감독

제작/ 다큐멘터리 영화
〈무현, 두 도시 이야기〉 제작위
감독/ 전인환
출연/ 노무현, 김원명, 김하연, 백승영, 조덕희, 박영희, 장철영, 윤종훈, 이종우
각본/ 김원명
촬영/ 김동효
음악/ 조동희
편집/ 김수범

조각난 민심 속 정치지도자란 어떠해야 하는가에 대한
기억과 질문을 다룬 이 다큐는
그의 평소 언행실천의 형태로 만들어졌다.
시민이 깨어 있어야 할 이유를 알게 한다.
과거는 우리를 무장시킨다.
허튼 님의 혼돈 속에 님은 갔지마는
나는 님을 보내지 아니하였습니다.
영원히 사그라지지 않을 횃불.

— 추천위원의 선정이유 中

고유명사와 대표단수

— 전인환 감독 〈무현, 두 도시 이야기〉

신귀백

고유명사 무현

찰스 디킨스의 소설 『두 도시 이야기』에서 따온 영화 제목이다. 2억 부 이상 팔린 소설이 혁명기 파리와 런던의 이면을 다루었다면 20만이 관람한 〈무현, 두 도시 이야기〉는 한반도의 남쪽 두 항구도시를 다룬다. 영화는 시차의 우연을 두고 부산과 여수에서 '무현' 이란 고유명사로 불린 두 남자의 국회의원 선거 탈락의 기록이다. 기억 확장으로서의 기록이 영화화됐는데, 두 남자를 다루지만 부산 남자가 중심이다.

무현, 스토리가 있는 남자다. 상고출신으로 사법고시에 합격한, 엄혹한 시대에 인권변호사로 아스팔트에서 최루탄과 함께 하던, 청문회에서 재벌을 꾸짖던 남자는 16대 대통령이 된다. 군신의 도리를 붕우의 도리로 행하던 남자. 언론의 자유 강화와 권위주의를 허무는 것을 시대정신이라고 믿고 실천했지만 박한 평가를 받았던 남자다. 필러주사 맞는 아줌마들이 노

가리라고 씹던 남자를 다룬 최초의 다큐멘터리는 아프다. 예의 없는 시대.

조각난 민심 속 정치지도자란 어떠해야 하는가에 대한 기억과 질문을 다룬 이 다큐는 그의 평소 언행 실천의 형태로 만들어졌다. 자본가들이 투자하고 배급하는 방식이 아닌 시민이 참여하는 크라우딩 펀드로 제작된 것. 영화제작자들은 엔딩 크레딧에 깨알같이 펀드에 참여한 시민들의 이름을 남긴다.

무현에 이르는 액자

> 최고의 시간이었습니다. 최악의 시대였고, 지혜의 시대였습니다. 어리석음의 시대였습니다. 신념의 시대였습니다.
>
> — 소설 『두 도시 이야기』에서

어둠 속에서 경상도 억양으로 "실패했습니다. …역사의 진보를 믿고, 다만 최선을 다할 뿐"이라는 목소리가 들려온다. 평토장을 한 낮은 비석이 드러날 때, "누구에 대한 원망이나 증오도 없다. 당신들의 노력이 헛된 것이 아니니 기죽지 말라"는 목소리가 새벽 미명을 깨우면서 오프닝 크레딧이 뜬다.

시퀀스 중심인 영화답게 시간과 공간을 훌쩍 건너뛴다. 서울, 노무현 7주년 사진 전시회에 이어 국회가 멀지 않은 포장마차. '박통'의 딸과 그때 대공실장이 비서실장을 하는 나라의 젊은이들이 술잔을 기울이며 울분을 토한다. 시각예술가, 리틀야구 지도자, 사진가, 팟캐스트 운영자 등 청춘이라기에는 아재 같지만 꼰대는 아닌 이들의 사소한 일상과 목소리가 오

버랩된다. 이 '노빠' 들은 고양이 사진을 찍고, 교도소 청춘들에게 몸동작을 가르치고 신문을 배달하는 일상을 보여준다. 텔레비전 다큐 같다. 일방적인 의사전달방식에서 탈피한 대담 방식이 편하긴 해도 극장용 포맷보다는 45인치 내지 컴퓨터 모니터를 생각하고 만든 것 같아 좀 그렇다.

초등학교 때 '시월의 찬란한 유신의 새아침이다' 라는 노래를 배우던 꼬맹이의 아버지는 중앙정보부에 끌려가 고문을 받았다. "모든 자살은 사회적 타살이다" 며 이 영화의 내래이션을 맡은 김원명 작가는 울먹인다. 김 작가의 아버지는 무현의 동지였고, 그 아버지의 기억을 통해서 부산 시퀀스로 연결되는데. 영도다리가 나오면서 무현을 찾아다니는 여정이 시작된다.

좀비들의 학대

〈무현, 두 도시 이야기〉는 영화보다 영화 속 인물에 머무르게 되는 텍스트다. 영화 밖 사람들처럼 야박한 평가를 내리자면, 이 영화는 긴장이 적다. 온유하지만 유머가 부족하다. 무현은 세상에 메시지를 보내지만 고향은 그를 조롱하고 학대한다.

넓지 않은 이마에 일자주름이 선명한 그는 좀비들이 설치는 '부산행'을 택한다. 부산 북강서을 지역 2000년 제 16대 국회의원 총선거다. '김대중 독재정권 심판'이라는 좀비 대표의 포스터는 누가 봐도 지역감정의 악용이다. 뭐, 먹고 들어가는 기본값이리라. 이 동네 좀비 대장은 '부산 죽이기 정책'에 골몰한다고 쏘시개를 붙이고 나서는 "혹시 전라도서 오신 분 아니냐?"고 망령의 불을 지른다(홍상수가 좀비영화를 만들면 이렇게 만들리라). '이게 아닌데' 하는 무현의 표정. '아 어쩌면 저럴 수 있지?' 하는 그 표정의 스틸을 영화 포스터에 썼어야 했다.

여수. 16년이란 시간과 공간을 훌쩍 뛰어넘는다. 시사만화가 출신 눈썹이 진한 남자 백무현이 여수에 출마했다. 선거운동 중, 울렁대는 증세에 환자복을 입고 이기기 어려운 싸움을 한다. 호사다마라니…. 이 남자 안타깝게 건강 잔고도 유머 잔고도 바닥이 났다. "노무현이 좋으면 백무현을!" 허나 '여순'을 겪은 이 동네 사람들에게 그것이 말처럼 쉽지 않다. 호남 민심이 민주당에서 국민의 당으로 불이 붙은 시기에 치러진 백무현의 데뷔는 은퇴로 이어지고 만다. 돌아가신 분(엔딩 크레딧에 '특별출연'이라고 쓰인)에게 미안하지만, 두 정치인의 연결보다는 그냥 부산 무현 한 사람으로 집중했어야 했다.

좋은 목수의 연장통에 오래된 연장들이 많듯 이 기록물에는 좋은 장면

들이 많다. 그렇다고 과거 청문회의 명연설을 뜯어다 붙이는 작업을 하지는 않는다. 대신 부산이라는 정서적 오지 탐험은 계속 된다. 자신이 민주당 이름으로 당선된다면, 부산말로 "히뜩 뒤비진다 안 합니까?" 라며 호남이 뭉치므로 영남이 뭉친다에 대해서는 "영남이 먼저 지역구도를 풀어야 한다" 고 연설을 할 때, 반바지 좀비가 나서서 설친다. 최악의 시절이었다.

무현은 고향사람들의 학대를 견딘다. 그 견딤의 밀착취재가 인물의 타이트한 숏으로 드러난다. 카메라를 향해 표정을 짓지 않아도 진정이 드러나는 얼굴. 어떤 스톱 모션에도 주인공이 가진 낙관의 태도가 잡힌다. 점퍼를 덮고 소파에서 잠깐 눈을 붙인 그는 절에도 가고 교회에도 간다. 타협하지 않을 일과 타협할 일의 구분이 힘들다면서도 미소와 순발력을 잃지 않는다. 잔기술보다 진심이기에. 유세가 안 되면 노래도 하고 섬마을

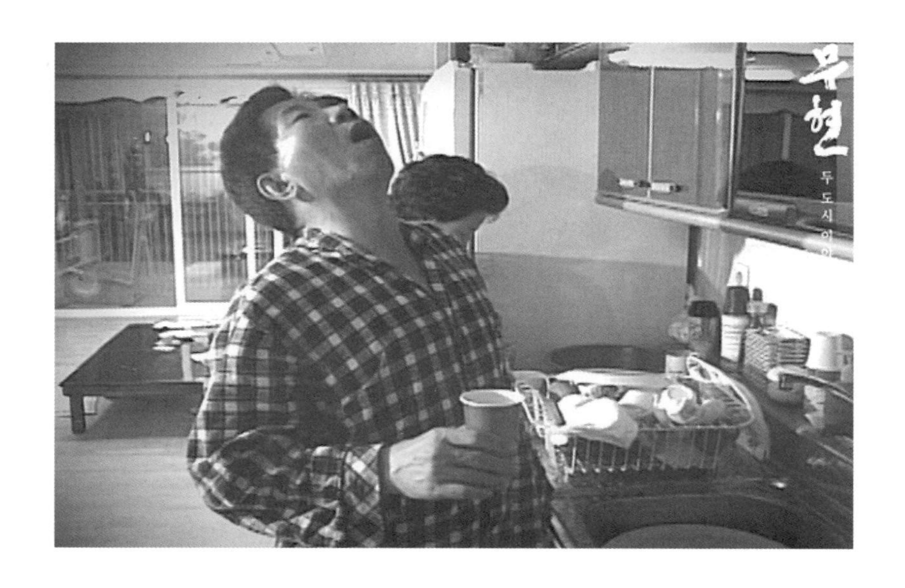

배추밭에 가서 물도 뿜어준다. '부산서 공부하고 부산서 사(싸)움하고 컸다' 는 무현은 "37년간 집권한 영남세력이 광주에서 시민들에게 총질을 했다" 고 고백한다. 광주에서 콩이면 부산에서도 콩이어야 한다는 그의 잠언은 이 영화의 핵심이다.

> 빛의 계절이었고, 어둠의 계절이었다. 희망의 봄이었으며, 절망의 겨울이었다. 우리에게 모든 것이 있었고, 우리에겐 아무것도 없었다. 우리 모두 천국으로 가고 있었으며, 우리 모두 반대 방향으로 가고 있었다.
>
> — 소설 『두 도시 이야기』에서

졌다. 영원한 숙제처럼 풀기 힘든 절대값인 지역감정의 인질극을 넘지 못했다. 자신의 패를 먼저 까면서 합리적 이성의 시대를 열고자 헌신하던 무현은 졌지만 상대방을 조롱하거나 독설로 말하지 않는다. 수첩 아닌 '씽킹'으로 자기 말을 할 줄 아는 무현은 마지막 연설을 한다. "사람이 살면서 다 이길 수는 없다. 87년 빼고 평생 계속 지면서 살아왔다. 우리가 졌다고 정의가 진 것은 아니다"면서 무현은 쉰 목소리로 〈부산 갈매기〉를 부른다.

대표단수 노무현

달라졌는가? 억울하다며 광화문에서 유가족들이 단식할 때 폭식투쟁하는 좀비들이 있다. '엄단하겠다'던 대공실장은 '그런 적 없다', '모른다, 기억이 안 난다'고 말한다. 홍상수의 제목처럼 그땐 맞고 지금은 다른가. 아니다. 멀리서 학대를 보여주는 괴물 트럼프, 최순실이라는 귀신이 설치는 생태계 속 백성들 너무 착하다. 이 '착한 영화'는 괄호나 따옴표에 갇힌 문장 같다. 시대를 다루는 카메라는 조금 더 거칠었어야 했다. 순해 빠진 놈들이 찔찔 짜는 반면, 좀비들에 대한 뻔뻔함이 빠져 있다. 있을 수 없는, 잊을 수 없는 일들은 여전히 진행 중인데 그저 추억하려는 착한 태도라니, 열쇠수리공을 부를 게 아니라 문을 고쳐야 하는데.

고백한다. 감동으로 보는 마음의 눈이 적어 영화를 사회학으로 읽는 나는 '호남 고령층'이다. 고령층이 추억에 젖어서 볼 영화가 아니라 도깨비 무현의 가슴에 박힌 칼을 빼는 김고은 또래가 보아야 할 영화이기에 '올해의 영화'로 추천한다. "집에 가서 2번 찍어 달래라"며 무현이 부탁하던 그때 그 꼬맹이가 바로 정관사 the를 붙이는 대표단수 '노무현'이 되어야 하겠기에 말이다.

그 꼬맹이에게 묻는다. 무엇이 삶을 긍지 있게 하는가? 무분별한 착함과

궁정은 냉소를 낳는다. 이 영화 너무 착하지 않나 말이다. 좀비들에게 팩트체크와 앵커브리핑으로 싸우는 남자보다는 강해야 하지 않겠는가 말이다. 무현들아! 부디 쿨병病 앓지 마시고 좀 '쎈' 것을 만들어 달라.

신 귀 백 __ butgood@hanmail.net

영화평론가. 장편다큐멘터리 〈미안해, 전해줘〉 감독. 전북독립영화제 조직위원. 무주산골영화제 심사위원. 평론집 『영화사용법』과 『전주편애』.

김지운 감독

밀정

제작/ 영화사 그림, 워너 브러더스 코리아(주)
감독/ 김지운
출연/ 송강호, 공유, 한지민, 엄태구, 신성록, 허성태, 이설구, 츠루미 신고, 정유안, 김동영, 고준, 서영주, 권수현
각본/ 이지민
촬영/ 김지용
조명/ 조규영
음악/ 모그
음향/ 최태영
편집/ 양진모

이길 수 없는 싸움을 기꺼이 수행하는 무모한 노력을
암울하지 않게 담아낸다.
게임서사와도 같은 구조와 빠른 전개가 관객을 몰입하게 하며
정의가 승리하는 체험을 원하는 관객의 열망에 결국 응답한다.
정체성의 갈등을 겪는 훌륭한 캐릭터를 창조했다.
의열단을 묘사하는 새로운 방식으로 차갑고도 뜨거운 장르영화를 선보인다.
한국적 장르의 끊임없는 개척, 카메라-음악-편집의 리듬.
친일행각(밀정)과 반일투쟁(독립군) 사이에서 균형 감각이 돋보인다.
'친일잔재청산' 이란 화두를 장르영화 속에서 재미있게 풀어간다.
송강호의 연기가 아니라면 드러낼 수 없는 경계와 경지이다.

— 추천위원의 선정이유 中

어둠의 시대, 피식민지인의 정체성 탐구

— 김지운 감독 〈밀정〉

김시무

김지운 감독의 〈밀정〉(Age of Shadows)은 일제 강점기 때 일어난 두 가지 사건을 모티브로 삼아 재구성한 일종의 팩션faction 사극이다. 영화의 메인 줄기는 당시 조선총독부 경무국 소속 황옥 경부의 폭탄사건을 모티브로 삼고 있다. 황옥은 경찰 요직에 있으면서 많은 독립투사들을 체포하고 투옥시켰던 인물인데, 아이러니컬하게도 그가 의열단에서 비밀리에 추진한 폭탄 국내 밀반입 사건에 깊이 관여했다는 점이다. 그때가 1923년이었는데, 황옥은 중국 상해에서 독립운동을 하고 있던 의열단 단장 김원봉과 핵심 단원인 김시현 등과 접촉을 했던 것이다. 하지만 다량의 폭발물을 경성으로 반입하는 작전은 또 다른 단원인 김재진의 밀고로 수포로 돌아가고 말았다. 황옥은 재판에 넘겨져 10년형을 언도받지만 1년 후에 석방되었다. 당시 일경은 황옥을 밀정이라고 규정했고, 김원봉 단장은 그가 의

열단 단원이었다고 진술했다.

두 번째 모티브는 영화의 도입부에 나오는 김장옥 사건인데, 박희순이 맡은 독립투사인 김장옥은 영화에서처럼 일본경찰 수백 명과 대치한 채 치열한 총격전을 벌이다가 장렬하게 최후를 마친 인물이다. 그 주인공이 바로 김상옥 열사烈士인데, 그는 1923년 1월 12일 종로경찰서에 폭탄을 투척한 사건을 일으키고 일경에 쫓기다가 1월 22일 생을 마감했다.

영화 〈밀정〉은 황옥을 이정출(송강호)로, 김시현을 김우진(공유)으로, 그리고 김재진을 조회령(신성록)으로 각각 바꾸고, 두 사건을 이어주는 중심인물로 김우진을 내세우고 있다. 김장옥 사건이 터진 이후 일본 경무국은 조선인 출신 이정출과 하시모토(엄태구)를 앞세워서 의열단 소탕작전에 나선다. 이정출은 먼저 김우진이 운영하는 사진관과 고미술상을 찾아

가는데, 김우진은 이정출의 정체를 알고 그와 친분을 맺으려 한다. 한편 이정출도 역시 김우진을 미끼로 삼아 조직의 비선을 캐려고 한다. 하지만 경쟁관계에 있는 하시모토의 개입으로 김우진의 정체가 노출되고, 단원들은 상해로 도피를 한다.

일본 경찰은 다시 이정출과 하시모토를 상해로 파견하여 검거작전을 펼친다. 이에 위기감을 느낀 의열단 단장 정채산은 이정출을 직접 만나서 회유를 하는 일대 모험을 시도한다. 정채산은 김우진에게 이렇게 말한다. "이중첩자에게도 조국은 하나뿐이오. 그에게 마음의 빛이 있을 터이니, 그것을 열어줍시다. 마음의 움직임이 가장 무서운 것이오." 이에 김우진도 동의하고 이정출을 식사자리로 초대한다. 사실 이 영화에서 가장 핵심적인 대목은 정채산, 김우진, 이정출 등이 만나서 아침부터 말술로 대작對酌을 하면서 서로간에 흉금을 터놓는 장면이라고 할 수 있다. 그날 밤 늦게까지 이어진 술자리와 밤낚시 자리에서 이정출은 자기처럼 일경에 몸담은 사람을 어찌 믿는가 하고 묻자, 정채산은 이렇게 대답을 한다. "나는 사람의 말을 믿지 않고, 사람이 마땅히 해야 할 일을 믿을 뿐이오. 이 동지! 어느 역사 위에 이름을 올릴 것인가?" 그러면서 회중시계를 건네준다. 이 같은 만남이 있고나서 경성으로 폭탄을 운반하는 작전이 진행된다.

영화 〈밀정〉은 실화에 바탕을 두고 있다는 점과 비슷한 시대적 배경과 소재를 다룬 최동훈 감독의 야심작인 〈암살〉과의 비교 등으로 홍행돌풍을 일으키면서 천만관객 동원을 기대했으나, 최종 스코어는 750만 명이었다. 이러한 수치 역시 엄청난 흥행성공이지만, 그래도 아쉬움을 남긴다. 한 평자는 이 영화가 가진 상업적 한계를 〈암살〉처럼 통쾌한 드라마와 이야기 전개를 상당 부분 포기한 데서 찾고 있다. 우선 무엇보다도 이 영화는 꼬리에 꼬리를 무는 의열단 내의 밀정들로 인해서 보통의 관객들이 기대하는 절대 선(독립투쟁의 대의)과 악(친일행각)을 구분하는 기준이 모호해졌다는 점이다. 또 하나는 친일파들의 자기 합리화 발언들, 예컨대 "너는 이 나라가 독립될 것 같니?" 등과 같은 이정출의 대사처럼, 누가 봐도 독립이 될 줄 몰랐기에 살기 위해서 친일을 선택했다는 자기 합리화의 변명들이 반복되고 있어 불편하다는 것이다. 게다가 영화가 전체적으로 느와르적인 색채를 띠고 있어서, 관객들에게 웃음을 유발하는 장면이 거의 등장하지 않고 있다는 것이다. 아무튼 이러한 요인들이 흥행에 불리하게 작용을 했다는 지적이다. 일견 타당한 지적이라고 여겨진다.

하지만 나는 바로 이 같은 한계 속에서 오히려 이 작품이 김지운 감독의 진정한 걸작임을 새삼 확인할 수 있다고 주장하고 싶다. 이 영화는 〈암살〉과 몇 가지 점에서 차별성을 보이고 있다. 〈암살〉이 현란한 총격전을 전면에 내세우고 반전反轉의 묘미까지 살린 전형적인 액션영화라고 한다면,

〈밀정〉은 느와르풍의 스릴러 영화에 더 가깝다. 사실 통쾌한 액션장면도 별로 없다. 이 영화는 이중첩자로서 이정출의 활약상보다는 그가 자신의 본래 모습을 찾아가는 일종의 자아 찾기에 치중하는 일종의 성찰적 영화다. 이 영화에서 이정출은 우리가 보통 생각하는 악랄한 친일파 경찰의 모습과는 전혀 다른 모습을 보여준다. 그는 한때 친구였던 김장옥이 일경에 쫓길 때, 어떻게 해서든지 목숨만은 살리려고 애를 쓴다. 결국 그가 자살을 택하자, 그는 친구의 잘라진 엄지발가락을 수습하여 보관을 한다. 그리고 후에 김진우에게 "발가락이 참 가벼웠다" 고 술회를 한다.

이정출은 첩보를 위해서 김진우와 접촉을 했지만, 김진우의 살가운 태도와 약간 응석어린 말투에서 일종의 형제애를 느낀다. 그리고 김진우의 주선으로 정채산을 만난 직후 심경의 변화를 보인다. 자신은 과연 어느 역사에 이름을 올린 것인가? 하는 역사적 자각을 한 셈이다. 하지만 그는 여전히 마음을 정하지 못했다. 독립이 요원한 조선의 미래를 위해서 현재의 특권을 선뜻 내려놓기가 쉽지 않은 것이다. 하지만 그는 결국 말로써가 아니라 행동으로 자신도 역시 조선인임을 드러내기 시작한다. 그러한 변화는 경성 행 열차 안에서 일어나는데, 하시모토 일행이 단원들 중 진짜 밀정의 밀고로 김우진 일행을 위기로 몰아넣자, 이정출은 김우진을 찾아가 대책을 논의한다. 화장실이라는 좁은 공간에서 두 사람이 대응책을 논의하는데, 이때 이정출의 얼굴이 거울을 통해서 비춰진다는 점은 대단히 의미심장하다. 거울 이미지는 말 그대로 자아의 분열상을 나타내 주기 때문이다. 그는 분명히 일본 경찰의 신분으로 독립투사인 김우진과 마주하고 있지만, 거울에 비친 그의 내면은 김우진과 이미 한뜻임을 웅변적으로 보여준다.

거울에 비친 이정출의 갈등하는 모습은 영화의 후반부에서 보다 심화된 형태로 나타난다. 경성에 들어온 일행 가운데 연계순(한지민)이 체포되어 고문을 받는 과정에서 이정출은 히가시 부장의 강요로 그녀 얼굴에 시뻘건 인두를 들이대는 악역을 맡게 된다. 고문 직후 이정출은 다시 한 번 화장실 거울에 비친 자신의 모습을 바라본다. 이전에는 경찰로서 당연하게 해오던 일들이 이제 와서 새삼 가책을 불러일으키고 있는 것이다. 결국 이정출은 자신이 가해자의 편이 아니라 피해자의 편이고, 자신도 또한 피해자임을 깨닫게 된 것이다. 이는 극중 서로 충성경쟁을 하던 하시모토가 이정출의 방해로 의열단 검거가 무산되자 그를 변절자라고 몰아붙였던 것과 극명하게 대조되고 있다. 하시모토는 자신이 가해자와 한편으로 생각하고 있는 것이다. 나는 이 점이야말로 대단히 중요하다고 생각한다.

이 영화를 다시 보면서 나는 위안부를 바라보는 일본과 한국 정부의 태도를 새삼 돌이켜보게 되었다. 일본 정부는 위안부를 강제로 동원한 일이

없다고 주장하면서 소녀상을 철거하라고 요구한다. 한국의 친일적 정부관계자들은 일본과의 합의 운운하면서 일본에 동조적인 저자세로 일관하고 있다. 요컨대 일본 정부는 가해를 한 적이 없다고 주장하고, 우리 정부는 피해를 당한 적이 없다고 맞장구를 치고 있는 셈이다. 이 같은 어처구니없는 현 시국에서 영화 〈밀정〉은 한일관계에 대하여 새롭게 반추할 수 있는 화두를 제공하고 있다. 이것이 천만관객 영화 〈암살〉보다 〈밀정〉을 더욱 중요하게 평가해야 하는 이유다. 영화 속에서 정채산(김원봉)이 한 말인 "우리는 실패를 거듭했지만, 그 쌓인 실패를 딛고 더 높은 곳으로 올라가야 합니다."라는 대사는 깊은 여운을 남긴다.

김 시 무 _ kimseemoo@daum.net

영화평론가. 평론집 『영화예술의 옹호』(2001년). 감독론 『Korean Film Directors: Lee Jang-ho』(Kofic, 2009(영문판)). 부산국제영화제연구소 소장과 책임연구원, 한국영화학회 회장 등 역임. 이장호영화연구회 회장.

연상호 감독

부산행

제작/ (주)영화사 레드피터
감독/ 연상호
출연/ 공유, 정유미, 마동석, 김수안, 김의성, 최우식, 안소희, 최귀화, 정석용, 예수정, 박명신, 장혁진
각본/ 연상호
촬영/ 이형덕
조명/ 박정우
음악/ 장영규
음향/ 최태영
편집/ 양진모

〈부산행〉은 현실을 가리지 않는 투명한 카메라로 좀비에 맞선 인간 간의 갈등을 섬세히 묘사했다.
한국판 〈워킹데드〉다.
보호막을 벗어난 국민들의 고통을 표현했다.
한국에 부족한 전통장르영화(한국식 좀비)의 가능성을 보여주었다.
한국형 좀비영화의 탄생,
한국형 좀비물의 성공사례로
한국영화 관객성의 변화를 유도한 작품이다.

— 추천위원의 선정이유 中

한국형 블록버스터의 가능성

— 연상호 감독 〈부산행〉

송경원

연상호 감독의 〈부산행〉은 2016년 영화계에 진귀한 기록들을 남겼다. 2016년 유일하게 천만 관객을 동원한 영화였고(1157만 명), 애니메이션 감독 연상호가 연출한 첫 번째 실사영화였으며, 애니메이션 〈서울역〉과 동시에 기획된 보기 드문 프로젝트였다. 〈부산행〉의 상업적 성과에 대해선 의심의 여지가 없다. 좀비영화의 성공적인 변주, 한국형 좀비영화 등 다양한 수식어가 〈부산행〉의 대중영화로서의 성과를 장식하고 있으며 국내보다 북미, 유럽 등 해외시장에서 더 뜨거운 반응을 이끌어냈다는 반응도 들려온다. 좀비물이라는 다소 식상한 장르를 표면에 내세운 영화가 이처럼 국내외의 호평과 관심을 끌 수 있었던 동력은 무엇일까. 〈부산행〉은 장르영화로서의 기본적인 재미와 대중상업영화로서의 보편적인 완성도를 갖춘 영화다. 하지만 무엇보다 중요한 건 장르의 대중성과 감독의

개성이 적절히 섞인 균형 잡힌 영화라는 점이다.

연상호 감독의 첫 번째 실사영화

사실 〈부산행〉에 작가적 야심이나 사회적 행간을 깊이 있게 요구하는 건 가혹한 요구라고 생각한다. 이 영화는 어디까지나 익숙하고 반복적인 화술을 통해 정확한 목표를 달성하고자 하는 대중상업영화다. 비하의 의미가 아니다. 그만큼 다수의 만족을 목표로 쉽고 자극적인 연출을 지향했고 충분한 볼거리는 물론 적절한 타이밍에 감정적 카타르시스를 제공한다는 의미다. 관점에 따라선 클라이막스에서 아기를 품에 안는 석우(공유)의 플래시백 교차 편집을 식상하다 평가할 수도 있다. 하지만 20퍼센트의 관객이 실망할지라도 80퍼센트의 관객을 설득시키는 것이 대중영화의 미덕이며 〈부산행〉은 이를 성실히 수행한다. 클라이막스에 해당하는

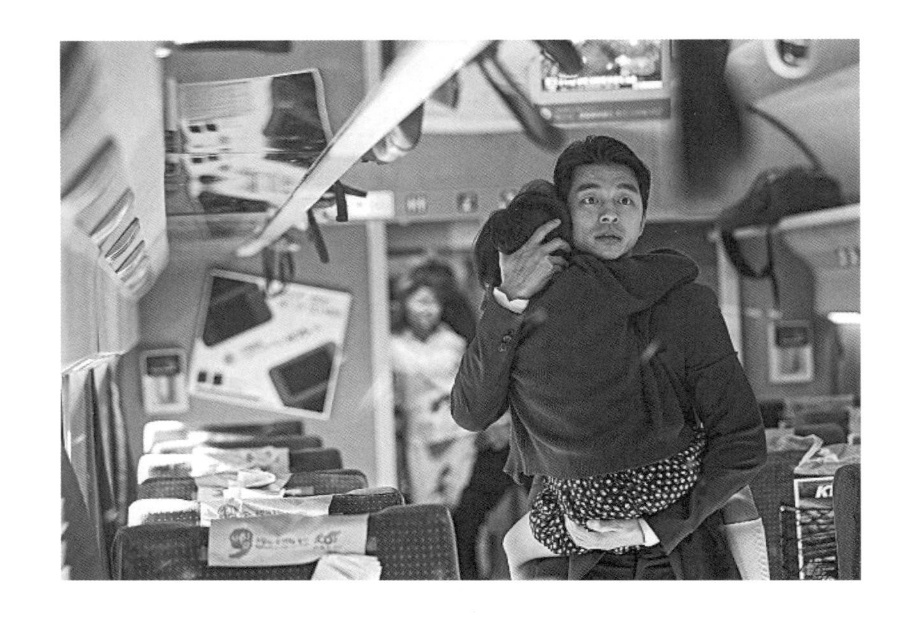

장면들의 호소력은 서사적으로 다소 진부함에도 불구하고 100분간 끌고 왔던 감정적 고양을 터트리기에 손색이 없다. 만약 〈부산행〉을 한국형 블록버스터라고 부를 수 있다면 바로 이와 같은 감정적인 호소력 덕분이다. 눈물샘을 자극하는 신파 코드는 즉각적이며 솔직하다. '이토록 짠한 부성애에 감동을 받으라' 고 명령하는 일차원적 감정 지시를 이해하지 못할 관객은 없을 것이다. 불분명한 여지를 남길 바에야 차라리 두 번 세 번 같은 말을 반복하는 게 낫다고 믿는 건 상업영화의 오랜 속성이다. 〈부산행〉은 처음부터 끝까지 그 명료함의 공식에 따라 서사를 실어 나르는데 충실한 영화다.

이렇게 말할 수도 있을 것이다. 〈부산행〉은 꼭 연상호가 필요했던 영화가 아니다. 장르영화가 요구하는 패턴화 된 요소들을 잘 정돈한 조립품이라고 할 수도 있을 것이다. 상업장르영화에서 관객의 몫은 완성된 결과물을 만끽하는 걸로 충분하다. 이를 위해 되도록 쉽고 간단명료할 필요가 있다. 〈부산행〉이 그간 연상호 감독의 애니메이션에 비해 한국사회의 부조리한 일면들 드러내되 깊게 파고들지 않는 이유가 여기에 있다. 역량이 부족하거나 깊이가 모자라서 그런 게 아니다. 사회현상과 1대1로 대응하는 직관적인 배치가 상업영화로서의 〈부산행〉에 더 적절하기 때문일 것이다. 연상호 감독은 악의 근본을 파내려가는 무시무시한 돌파력을 잠시 내려두고 보편타당한 이야기에 집중한다. 이것은 서사적 효율에 대한 선택의 문제이며, 다수의 관객들이 여기에 지지를 보냈다. 한마디로 연상호는 대중적인 접근에 성공했다. 전작들의 면면을 볼 때 쉽지 않는 선택이었을 것이다. 애니메이터로서 연상호는 기존의 주류 관습에 저항하면 자신의 색을 드러내는데 강점을 지니고 있었다. 단지 다루는 주제가 사회적인 비판 의식을 담고 있는 걸 넘어 제작방식부터 작화까지 자신만의 것을 찾겠다는 저항의 전조가 깔려 있다고 봐도 무방하다. 하지만 첫 번째 실사영화를 연출하는 과정에서 그는 취사선택을 병행한다. 자신의 개성과 장점을 부각시킬 지점에서는 확실히 색깔을 드러내되, 영화 전반에 있어선 관객에게 친절한 설명을 시도하는 것이다.

한국형 장르영화의 가능성을 증명하다

축하할 일이다. 대중적인 코드를 읽어내고 재현하는 감각은 작가주의적 고집만큼이나 소중한 재능이다. 연상호 감독이 두 가지 면모를 함께 갖추었다는 것, 이를 적재적소 배치하는 균형감각을 선보였다는 건 한국영화계에 다행스런 일이다. 2000년대 중반 한국영화 르네상스라고 할 수

있는 시기, 박찬욱-김지운-봉준호 등 감독이 주목 받고 스타로 각인될 수 있는 시절은 지났다. 한편으로 슬픈 일이지만 온전히 감독의 이름을 보고 영화를 고르는 시대는 저물어 가고 있음을 인정하지 않을 수 없다. 한국형 스튜디오 시스템이 자리를 잡아 나가는 과정에서 영화의 제일 앞에 붙는 타이틀은 감독의 이름이 아니라 배급사, 그리고 장르다. 바야흐로 기획영화들의 시대가 찾아온 것이다. 아마도 연상호는 영화 앞에 감독의 이름을 먼저 붙일 수 있는 마지막 티켓을 끊은 것 같다. 대중상업영화로서의 면모를 풍성하게 갖추고 있음에도 〈부산행〉은 어디까지나 연상호의 영화다. 비록 색이 옅어졌을지언정 그 인장과 흔적이 영화 곳곳에 묻어 있다는 사실이야말로 〈부산행〉이 단순히 관객의 호기심만을 자극하고 소비되는 상업영화와 차별되는 지점이다.

〈부산행〉은 더 이상의 변주가 가능하지 않을 것 같던 좀비 영화에서 또

다른 것들을 보여준다. 〈부산행〉에 대한 해외 관객들의 호의적인 반응은 여기에 기인한다. 열차에 매달리는 좀비 액션이나 떼 지어 파도처럼 돌격하는 좀비들 자체가 새로운 건 아니다. 물론 좀비들의 장벽을 육체적인 강인함으로 돌파해나가는 주인공 일행(특히 상화 역의 마동석은 전무후무한 캐릭터를 선보인다.)의 액션 시퀀스는 창의적이라 할 만하지만 그건 매우 지엽적인 요소다. 그보다 일련의 좀비 액션들이 신선하게 소비되는 건 그 장면들이 한국이라는 배경, KTX라는 무대와 위화감 없이 결합되었기 때문이다. 좀비 떼의 집단 액션은 〈월드 워Z〉(2013)에서 장벽을 뛰어넘는 장면에서 이미 선보였다. 좁은 탈것에서 육박해 들어오는 좀비들도 〈월드 워Z〉의 비행기 시퀀스가 먼저 떠오른다. 그런데 이 유사한 장면들이 KTX의 길고 좁은 회랑이나 열차의 긴 선로 위에 장착될 때 전혀 다른 분위기를 자아낸다. 이건 단순히 액션 시퀀스의 차이라고 하기보다는 좀

더 근본적인 감성, 내셔널 시네마로서 한국사회의 구조적 모순들을 드러내는 시선과 맞닿아 있기 때문이라 생각된다.

장르영화로서 〈부산행〉은 직진하는 영화다. 서울에서 부산으로 내달리는 열차처럼 인물들은 생존이라는 각자도생의 목표를 가지고 동물적으로 반응한다. 좀비가 나오면 도망치고 물러날 곳이 없으면 물리치며 나아간다. 감독의 표현을 빌리자면 "목적이 분명해 처음부터 끝까지 한 호흡에 달려갈 수 있는" 영화다. 동시에 한국형 블록버스터, 한국형 좀비영화 등 이른바 '한국적' 이라는 수식어를 붙일 만한 여지도 있다. 장르의 틀을 완전히 벗어나진 않되 색다른 방식으로 한국적인 상황, 시의성 등이 녹아 있기 때문이다. 여타 좀비물과 비교하면 가족 간의 유대, 희생 등 감성적인 요소를 훨씬 부각되는 것도 한국 상업영화의 대체적인 흐름에 부합한다. 애초에 연상호는 한국사회의 부조리를 감지하는데 동물적인 후각을 지닌 감독 중 한 사람이다. 〈돼지의 왕〉, 〈사이비〉 등 그의 장편 애니메이션들은 사회고발 드라마라고 해도 좋을 만치 직설적으로 부조리를 향해 주먹을 날려왔다. 대중영화의 기준에 최대한 맞추려 해도 감독이 타고난 성향과 특징들은 영화 속에 자연스레 표출되기 마련이며 해외관객들이 〈부산행〉을 좀비영화의 신선한 변주로 받아들이는 건 이러한 감독의 개성과 무관하지 않다. 중요한 건 결국 이야기, 그리고 감독이 세계를 바라보는 방식이며 그 점에 있어 연상호는 충분히 신뢰할만한 이름이다.

송 경 원 _ sokimera@naver.com

《씨네21》 기자. 영화평론가. 2009년 《씨네21》 영화평론상 수상, 동국대 영상대학원 박사 과정 수료. 부산일보 영화상, 부천국제영화제, 서울국제애니메이션영화제 등의 여러 영화제의 심사위원을 맡았음. 인디다큐페스티발 프로그래머. 영화 뿐 아니라 게임, 애니메이션 등 영상문화 전반에 대해 비평 활동.

박찬욱 감독

아가씨

제작/ 모호필름, 용필름
감독/ 박찬욱
출연/ 김민희, 김태리, 하정우, 조진웅, 김해숙, 이용녀, 이동휘, 유민채, 조은형
원작/ 사라 워터스
각본/ 박찬욱
촬영/ 정정훈
조명/ 배일혁
음악/ 조영욱
음향/ 김석원
편집/ 김상범, 김재범

현란한 미장센을 통한 거침없는 에로티시즘의 추구가 멋지다.
극적 반전의 묘미, 탁월한 색감과 한국에 부족한 탐미적이고
에로틱한 작가주의를 보여준다.
계급의 코드와 젠더의 코드가 씨줄과 날줄이 되어
화려한 풍속화 같은 영화가 되었다.
1860년대 영국 빅토리아 시대를
일제강점기로 변형 생성한 것이 재치 있다.
박찬욱 영화 세계의 또 다른 정점.
압도적 미장센과 음악, 배우들의 아름다움 등 치밀한 구성을 보여준다.
세상에서 가장 매혹적인 시대의 멜랑꼴리한 사랑이야기를
무엇보다 화려하고 유장하게 들려준다.
은밀하지만 강력한 페미니즘 복수극이다.
박찬욱의 계속된 금기에의 도전으로 '레즈비언 코드가 제시된
상업영화' 라는 또 다른 차원의 지평이 열리다.

— 추천위원의 선정이유 中

예술과 상업의 경계에서 시네필적인 '박찬욱 터치/초월성'

— 박찬욱 감독 〈아가씨〉

남승석

〈아가씨THE HANDMAIDEN〉(제작 모호필름, 용필름)는 예술 영화인가 아니면 상업 영화인가? 이런 상투적 질문으로 박찬욱의 작품 〈아가씨〉에 대한 본격적인 비평을 시작하고자 한다. 이런 상투적인 질문을 제기하는 것은 예술과 상업의 경계점에 위치한 박찬욱 영화의 특징을 지닌 〈아가씨〉에 대해 고찰하고 설명하는 과정에서 '박찬욱 터치/초월성'이라는 개념을 제안하기 위해서다. 뒤에서 구체적으로 논의하겠지만 '박찬욱 터치/초월성'을 간략히 요약하면 다음과 같다. '루비치 터치'는 작가주의적이면서 동시에 상업적인 장르 영화의 특징을 지니는 에른스트 루비치만의 독특한 영화적 스타일을 의미한다. 나는 예술과 상업의 경계에서 시네필적인 박찬욱 영화의 특징을 나타내는 개념으로 '루비치 터치'와 무르나우의 알레고리를 혼합하여 '박찬욱 터치/초월성'이라는 용어를 사용할 것이다.

'루비치 터치'는 냉혹한 현실 속 주인공을 이상적인 세계로 데리고 갔다가 다시 현실로 돌아오게 한다. '박찬욱 터치/초월성'은 '루비치 터치'와 같이 정교하고 가벼운 주제의식과 관련이 있지만 무르나우적인 특징을 가지고 있다. '박찬욱 터치/초월성은 무르나우처럼 냉혹한 현실 속의 주인공을 안전하고 이상적인 세계로 데리고 가는 한 과정이다.

우선 '박찬욱 터치/초월성'에 대해 본격적으로 논의하기에 앞서 위의 상투적인 질문에 대해 답을 하자면 박찬욱의 영화 "〈아가씨〉는 예술 영화이면서 상업 영화"이다. 우선, 박찬욱은 제57회 칸영화제에서 〈올드보이〉(2003)로 심사위원대상을 수상하고 62회 칸영화제에서 〈박쥐〉(2009)로 심사위원상을 수상하며 칸에서 갈채를 받은 예술 영화를 만드는 작가주의 감독이다. 〈아가씨〉는 역시 69회 칸영화제 경쟁부문에 초대되어 예술 영화를 만드는 작가주의 감독들과 경쟁하였다. 2016년 베를린 영화제 감독상 수상작인 미아 한센-러브의 프랑스 예술영화 〈다가오는 것들〉이 국내에서 스크린수 30개 미만으로 개봉한 다양성 영화 중 유일하게 1만 관객을 돌파하였다. 하지만 〈아가씨〉의 순 제작비는 124억 원이며, P&A(배급 마케팅) 비용을 더하면 150억 원이다. 그리고 2016년 최대 스크린 수 1,171개로 개봉하였으며, 누적 관객수만 428만여 명을 기록했다. 〈다가오는 것들〉의 배급 상황 및 관객수와 비교해 볼 때 같은 예술 영화로 보기에는 너무나 차이가 나는 상업적 결과이다. 이런 수치로만 보면 박찬욱 자신이 인터뷰 때마다 역설하는 것처럼 그는 상업 영화 감독임에 틀림없어 보인다.

이런 모순된 대답에 대한 설명을 위해서 또 다른 상투적인 질문을 상정해 보자. 박찬욱이 국제적으로 코리안 뉴웨이브의 아이콘이라는 것은 무엇을 의미하는가? 이 질문의 대답은 박찬욱 그가 앞으로 수십 년 동안 영화를 지속적으로 만들 수 있는 국제적인 브랜드 파워를 가진다는 것을 의미하는 것이다. 코리안 뉴웨이브에서 박찬욱이 지니는 영화사적 위상을 설명하기 위해서는 세계영화사에서 폴란드 필름스쿨의 아이콘인 로만 폴란스키나 체코 뉴웨이브의 아이콘인 밀로스 포먼과 비교하는 것이 효과적일 것이다. 〈복수는 나의 것〉(2002)을 만든 박찬욱처럼 〈물 속의 칼〉(1962)을 연출한 폴란스키와 〈금발 소녀의 사랑〉(1965)을 감독한 포먼은 각자의 조국 폴란드와 체코에서 뉴웨이브 전성기에 대표작을 만들고 이후 반세기 동안 세계를 돌아다니며 영화를 만든다. 그들의 이름은 조국의 뉴웨이브의 아이콘이라는 찬사를 받으며 그들만의 독특한 영화적 스타일과 함께 세계적 브랜드가 되었다. 폴란스키와 포먼은 궁극적으로 변화하지 않는 그들만의 작가주의적인 미학을 지키면서도 시대별로 변화하는 세대와 다

양한 지역의 문화를 흡수하며 수십 년 동안 영화를 만들어왔다. 박찬욱은 〈복수는 나의 것〉 이후 〈올드보이〉로 코리안 뉴웨이브의 대표 감독이라는 위상을 얻게 되며 폴란스키와 포먼의 행보처럼 앞으로 수십 년 동안 세계를 돌아다니며 영화를 촬영할 수 있는 국제적 브랜드 파워를 지니게 된다. 박찬욱의 인지도는 〈아가씨〉가 전 세계 175개국에 판매되어 역대 한국 영화 가운데 최다 국가 판매 기록을 세웠다는 점에서 확인할 수 있다. 이런 맥락에서 나는 박찬욱의 〈아가씨〉에서 보이는 젊음과 발랄함이 그의 과거 영화들에 기반을 두고 있으면서, 앞으로 만들 영화들의 새로운 출발의 예고와 관련된 것일 수 있다고 생각한다.

박찬욱은 장르를 불문하고 영화들을 좋아하는 전형적인 시네필이다. 그래서 그는 고전영화와 현대 예술 그리고 B급 영화들의 파편들을 그의 영화들에 보물찾기처럼 숨겨 놓은 A급 영화를 만든다. 그래서 나 역시 한

명의 시네필로서 박찬욱의 영화를 볼 때마다 관련된 영화들의 파편들을 찾아서 퍼즐을 맞춰보고 전체적인 그림을 그리는 즐거운 경험을 하게 된다. 〈아가씨〉에 대한 비평글도 이런 퍼즐 맞추기의 구조로 구성된다. 〈아가씨〉와 관련이 있는 영화들을 1차의 표면적인 측면에서 그리고 2차의 기반적인 측면에 나누어 보면 다음과 같다. 1차와 2차를 나눈 중요한 기준은 박찬욱이 인터뷰를 통해 자신이 선호한다고 언급했는가이다. 1차가 본 비평가가 임의로 뽑은 영화들이라면 2차는 박찬욱이 선호한다고 언급했던 영화들이다.

우선, 1차적인 피상적 측면에서 〈아가씨〉의 관련 영화로는 스탠리 큐브릭의 〈아이즈 와이드 셧〉(1999), 쿠엔틴 타란티노의 〈킬빌〉(2003) 그리고 매튜 바니의 〈구속의 드로잉 9〉(2005) 등이 있다. 시각적인 측면에서 〈아가씨〉는 〈킬빌〉과 〈구속의 드로잉 9〉의 중간 지점에 있는 영화라고 생각하면 좋을 듯하다. 〈아가씨〉에서 자동으로 열리고 닫히는 서재의 창문과 문들, 그리고 서재의 문을 지키는 코브라 모양의 조형물이 경고의 상징물처럼 등장한다. 이처럼 모든 사람이 누릴 수 있는 일상의 공간을 넘어서 특정 집단의 은밀한 공간이라는 상정은 〈아이즈 와이드 셧〉과 닮아 있다. 〈아가씨〉에서 춘화들과 책들은 여주인공의 목소리와 함께 히데코를 묶는 하나의 족쇄인 동시에 다른 한편으로는 영향력 있는 남자들을 그녀 자신에게 복종시키는 하나의 채찍처럼 작동한다. 그 대표적인 예로는 서재에서 정장을 잘 차려입은 관객들 앞에서 이모부인 코우즈키(조진웅 분)가 히데코를 꼭두각시 목각 인형처럼 줄로 묶어서 공중으로 잡아 올려 춘화의 성교하는 장면을 재연하는 장면을 들 수 있다. 코우즈키는 자신이 히데코의 욕망을 철저히 조정하고 있다고 믿는다. 하지만 서재의 관객들을 조정하는 모든 권력은 히데코의 목소리에서 나온다. 그리고 아이러니하게도 그 목소리의 권위는 여성의 욕망을 고도로 양식화된 일련의 행위들로 조절할 수 있다는 교만한 남성들의 믿음에서 오는 것이다. 〈킬빌〉에서 칼싸움이 이루어지는 일본 다다미 건축물 내부와 야외정원이 〈아가씨〉에서는 서재에 집약되어 있다. 서재는 일본의 야외 정원을 옮겨온 듯 실내 연못과 분재로 장식되어 묘한 분위기를 풍긴다. 이는 〈올드보이〉에서 등장하는 이우진의 고층 빌딩 펜트하우스의 실내를 연상시킨다. 그리고 서재는 살아 있는 대왕문어가 존재할 뿐만 아니라 절단된 신체부분이 담겨진 유리 용기가 전시되어 있는 지하실을 은폐하고 있다. 〈공동경비구역 JSA〉에서 북한초소의 지하실이 남북의 젊은 병사들의 퇴행의 공간임에 반해서 〈아가씨〉에서 지하실은 코우즈키의 성애적인 상징물이 집약된 공간이다. 코우즈키는 히데코에게 "지하실을 절대 잊지 말아라."라고 협박한다. 그리고 가짜 백작(하정우 분)은 2명의 일본 낭인들에게 잡혀와 코우즈키에게 손가락이 동강 동강 잘린다. 지하실은 투명한 유리 용기 안에 들어 있는 절단된 성기들로 가득하다. 〈아가씨〉에서 가짜 백작의 마지막 대사는 "그래도 자지는 지켜서 다행이다."이다. 〈구속의 드로잉 9〉의 엔딩 장면의 칼로 서로의 살을 발라내는 괴상한 장면, 그리고 바다의 풍경과 매우 유사하다. 히데코의 목소리는 무한한 내공을 지닌 검객처럼 공연을 보는 남자 관객들의 몸에 채찍을 휘두르듯 상처를 입힌다. 엉덩이를 회초리로 때려 빨간 피멍을 남기는 것이 마치 드로잉을 그리는 듯하다. 〈아가씨〉에서 바다의 풍경과 그 바다 위의 배에서의 두 여인의 정사 신은 모든 것이 실현된 완전한 이미지처럼 보인다. 그것은 매우 추상적이어서, 〈구속의 드로잉 9〉의 마지막 장면의 괴상한 정사 신과 바다의 풍경을 상기시킨다.

히데코가 춘화 책을 읽는 목소리는 기괴한 상상력으로 계속 확장하고 상태가 변화하는 기괴한 건축물 공간에서 인간들의 몸과 관련된 드로잉과 유사한 것이 된다. 〈아가씨〉의 정원, 가로수길, 집의 복도, 수많은 문들, 그리고 특히 서재의 구조는 한쪽에서 보면 남성의 생식기를, 그리고 다른 측면에서 보면 여성의 생식기를 연상시킨다.

다음으로 2차적 기반의 측면에서 〈아가씨〉의 관련 영화로는 우선은 같은 원작 소설에 기반을 둔 영화인 〈핑거스미스〉(2005) 이외에도 앙리 조르주 클루조의 〈디아볼릭〉(1955)과 알프레드 히치콕의 〈현기증〉(1958) 그리고 김기영의 〈화녀 82〉(1982)를 들 수 있는데, 이 작품들에서 나타나는 스릴러 장르적 관습의 사용을 발견할 수 있다. 그리고 F. W. 무르나우의 〈선라이즈〉(1927)와 더글라스 서크의 고전 멜로드라마 〈바람에 쓴 편지〉(1956)와 에른스트 루비치의 스크루볼 코미디 〈천국의 말썽〉(1932)과

관련된다. 박찬욱은 그의 영화에서 고전 느와르의 전통에 기반하며 추리물과 더불어 탐정물의 유형에 속하는 스릴러 장르를 지향하였다. 우리는 박찬욱의 영화에서 스릴러적 경향뿐만 아니라 필름 느와르를 비롯한 다양한 장르 영화의 관습에 대한 혼성장르적 사용을 통한 작가주의 예술 영화적 경향을 발견할 수 있다. 이런 특징으로 인해서 박찬욱의 영화들은 예술영화와 상업 영화의 경계에 위치한다고 말할 수 있다. 나는 〈아가씨〉와 서크의 멜로드라마, 루비치의 스크루볼 코미디의 관련성을 논의를 중점적으로 논의하며 '루비치 터치'에 기반을 두고 '박찬욱 터치/초월성'라는 개념을 사용할 것이다. '박찬욱 터치/초월성'는 그의 영화에 더 가까이 다가갈 수 있는 단초가 될 것이다.

우선 내가 주목하는 부분은 멜로드라마가 스크루볼 코미디와는 이데올로기적 차이를 보인다는 점이다. 스크루볼 코미디는 일반적으로 연애 이야기를 주로 다루며, 주인공들이 서로에 대한 오해로 인해 많은 시행착오를 겪지만 난관을 극복하고 마지막에는 결국 결합하게 된다. 반면에 멜로드라마는 순수한 개인이나 연인이 결혼, 직업, 가족 문제들과 관련된 억압적이고 불평등한 사회 환경에 의해 희생되는 연애 이야기이다. 그래서 스크루볼 코미디의 캐릭터들은 사회적 관습과 전통에 대해서 전복적인 면을 가진다. 반면에, 멜로드라마에서 캐릭터들은 사회적 관습에 지배당한다. 〈아가씨〉에서 스크루볼 코미디의 전통처럼 무정부적인 연인인 숙희와 히데코는 자신들이 속한 사회 분위기와는 다르게, 동성 커플로 결합한다. 그에 반해서 박찬욱의 〈박쥐〉는 멜로드라마 특징이 강하기 때문에 뱀파이어가 된 카톨릭 신부와 젊은 유부녀가 영화 마지막 장면에서 자살을 함으로써 궁극적으로 사회적 전통에 항복하고 만다.

〈아가씨〉에서 매우 흥미로운 점은 스크루볼 코미디와 멜로드라마의 서사 구조와 장르적 관습을 복합적으로 사용한다는 점이다. 〈아가씨〉에서 사용되는 폐소 공포와 관련된 멜로드라마의 대표적 장치인 플래시백과 미장센이다. 우선, 플래시백을 살펴보자.

〈아가씨〉의 1장에서는 치정 멜로드라마의 서사와 장치가 두드러진다. 그래서 멜로드라마의 사람들은 현실의 상황에 굴복하고 원래 위치를 지키면서 극적 행위를 만들어 낸다. 그리고 플래시백으로 인해 구조의 순환성이 생기는데, 이런 순환성이 멜로드라마에서는 플래시백에 의지하게 된다. 왜냐하면 이 순환성은 폐소 공포증을 예고하기 때문이다. 이는 현실에 굴복할 수밖에 없었던 현재에 대한 과거로부터의 필연과 관계된다. 이러한 서사 구조의 순환성 이외에도 공간에 의해서 직접적으로 강화된다. 〈아가씨〉에서 멋진 풍경 혹은 화려한 미장센은 플래시백과 함께 폐소 공포를 강화시킨다. 멜로드라마의 공간적 배경은 가정이나 작은 마을이다. 그리고 그러한 공간에서 시간은 의연히 멈춰 서서 히데코의 숨을 막히게 한다. 히데코의 수많은 구두와 장갑 그리고 모자, 아름다운 의상들은 눈부시게 화려한 실내 장식과 미장센의 일부가 된다. 이러한 장소의 창문과 소품들은 주인공을 질식시키고 움직일 수 없게 억누르게 한다. 〈아가씨〉에서 히데코가 이마를 창문에 대고 아름다운 풍경을 내다보다가 이마가 빨갛게 된다. 반대로 숙희는 창문 안의 상류사회의 히데코를 바라보며 세밀하게 관찰한다. 이렇게 〈아가씨〉에서는 인물들의 엇갈리는 시선 속에서 미묘하게 드러나는 캐릭터들의 감정과 관계가 드러난다. 이런 서로 다른 시점의 장면들은 캐릭터의 자기기만적 불안 따위의 내적 감정을 외적 상징화를 통해 드러나게 한다. 플래시백과 풍경, 그리고 미장센으로 인한 폐소 공포는 금지된 것에 대한 욕망, 즉 획득 불가능한 것을 향한 욕구에 의해서 효과가 극대화된다.

〈아가씨〉의 2장과 3장에서는 스크루볼 코미디의 서사와 장치가 두드러진다. 에른스트 루비치의 〈천국의 말썽〉은 〈아가씨〉와 유사한 서사와 서사 장치를 지닌다. 〈천국의 말썽〉은 백만장자 여인의 사랑을 차지하려는 사기꾼 이야기를 담고 있는 스크루볼 코미디이다. 시계, 문, 창문, 계단, 장식의 다른 요소를 중심으로 만들어진 사교 내레이션이 광범위한 몽타주 시퀀스와 구절로 표시된다. 〈천국의 말썽〉은 쓰레기와 곤돌라, 매춘과 범죄에 관련된 광범위한 함의를 지닌 오프닝 시퀀스로 베니스에서 시작된다. 〈아가씨〉 역시 매우 유사한 함의를 지닌 장면들로 시작한다. 비가 오는 진흙탕 위로 일본군 부대가 행진하고 아이들이 그 뒤를 쫓아서 뛰어가는데, 아기를 한쪽에 들고 있는 남숙희(김태리 분)가 이즈미 히데코의 몸종, 즉 아가씨의 하녀로 떠나는 장면으로 시작한다. 버려진 갓난아이를 일본에 파는 복순네 보영당에 사기꾼 백작, 후지와라(하정우 분)가 찾아와 막대한 재산을 물려받은 상속녀 이즈미 히데코(김민희 분)에게서 재산을 가로챌 계획을 제안한다. 〈천국의 말썽〉은 독특한 인물 설정과 정교한 세트, 위트 있는 유머와 풍자가 어우러진 걸작이다. 악명 높은 도둑이면서 상류사회의 신사이기도 한 가스통과 백작부인으로 위장한 릴리는 서로의 재주에 반해 급속히 가까워진다. 둘은 힘을 합쳐 향수회사 소유주인 마담 콜레트의 보석을 훔치기로 결정하고 그녀의 저택에 위장잠입한다. 하지만 남자 사기꾼 가스통이 마단 콜레트를 진짜 사랑하게 되면서 모든 것은 다시 제자리로 돌아간다. 〈아가씨〉에서 이런 모순된 상황을 함의하는 대사는 히데코가 말하는 "내 인생을 망치러 온 나의 구원자, 나의 타마코, 나의 숙희"이다. 이 대사는 〈아가씨〉에서 대중적으로 주목받고 있는 대사이며 이 영화의 서사를 가장 효과적으로 설명한다.

'루비치 터치The Lubitsch Touch'는 오랫동안 루비치의 독특한 스타일과 영화적인 브랜드를 묘사하는 데 사용되어 왔다. 영화사학자이자 비평가인 스코트 마크에 따르면, '루비치 터치'는 루비치를 브랜드 이름으로 바꾸기를 열망하는 스튜디오 홍보담당자들이 사용하던 문구이다. 관객의 상상력을 자극하는 연출, 의미심장하고 재치 있는 대사, 시각적 풍자 등 루비치의 스타일은 '루비치 터치'로 불리며 관객들을 사로잡았다. 특히 루비치는 배우들의 연기를 통한 감정들보다는 집에서 입구와 출구를 통과하고 계단을 오르내리고 문을 열고 닫고 하는 안무로 캐릭터의 내적 감정과 성애적인 부분을 묘사한다. 이렇게 루비치의 영화에서는 스타들이 전면에 보이는 것이 아니라 루비치의 스타일이 전면에 보인다.

〈천국의 말썽〉에서 루비치는 커플 간의 친밀감을 신속하고도 우스꽝스럽게 표현하기 위해 청혼자가 여인의 아파트 현관문에 접근하는 장면을 두 가지 장면으로 제시한다. 첫 번째 장면은 그가 초인종을 울리기 시작할 때 그의 손을 클로즈업으로 보여준다. 그는 잠시 주저하다가 주머니에서 거울을 꺼낸다. 그것으로 그는 두 번째로 초인종을 누르는 것을 대신한다. 그러면 종이 울리고 소개를 기다리는 동안 하녀에게 정중하게 코트와 모자를 맡긴다. 두 번째 장면은 몇 주 후에 일어나서, 이번에는 주저 없이 다시 종을 울리는 것을 보여준다. 그 남자는 문을 지나 걸어가며 하녀에게 무심하게 모자와 코트를 전하고 걸어 지나가 여인의 방을 노크 없이 들어간다. 필요한 모든 정보는 자막, 촬영 및 편집 방식을 통해 전달된다. 연기는 거의 불필요하다. 그것은 속속들이 루비치의 성과이다. 사실, 루비츠의 존재는 그의 영화에서 거의 항상 느낄 수 있다. 루비츠의 지혜에 경탄하지 않기 어렵기 때문에, 감독의 위트와 스타일을 신중하게 의식하지 않으면 영화를 볼 수 없다. 루비치의 영화는 엔터테인먼트적 요소가 강해서 영화가 상영되는 2시간여 동안 즐겁지만 극장 조명이 켜지는 그 순간 이후에는 어떤 영향도 미치지 않는다. 그래서 루비치 터치는 재치 있게 손대지만 가벼운 터치이며 그로인해서 캐릭터의 재치있는 대사와 안무가 돋보이지만 실제 인간의 문제을 손대지는 않는다.

박찬욱의 영화는 루비치 영화와 비교해 어떤 유사점이 있는가? 〈아가씨〉에서 히데코가 숙희를 부를 때 잡아당기는 줄과 벨의 모습을 통해서 박찬욱의 재치가 전면에 드러난다. 건축물 내에서도 히데코와 숙희가 수평의 복도를 통과하는 모습과 수직의 계단을 오르내려리는 장면, 그리고 문을 열고 닫고 하는 부분은 매우 〈천국의 말썽〉을 닮아 있다. 이렇게 모

든 필요한 정보는 안무, 자막, 촬영 및 편집 방식을 통해 전달된다. 연기는 거의 불필요하다. 하지만 박찬욱은 연기까지도 그의 기술적 계산에 집어넣는다. 〈아가씨〉는 배우, 캐릭터들의 앙상블이 빛나는 영화였으며 배우들의 감정을 최대한 살려 화면에 담고자 하는 촬영이었다. 〈아가씨〉에서 박찬욱은 연기에 물이 한창 오른 전성기의 배우들인 하정우, 김민희, 조진웅을 캐스팅하면서도 1,500대 1 경쟁률의 오디션을 통해 신인 김태리를 발탁한다. 그래서 '루비치 터치' 를 넘어선 어떤 예술적인 실험으로 나아간다. 예를 들면, 〈스토커〉(2013)처럼 여인의 신발을 가지고 성장, 즉 시간의 흐름을 표현한다. 〈아가씨〉에서도 히데코는 지나치게 많은 신발을 가지고 있다. 〈아가씨〉에서도 숙희의 신발 한쪽을 잃어버리고 히데코로부터 새로운 신발을 얻고 그 신발을 벗어 던지고 하는 모습을 통해서 성애적인 함의뿐만 그들의 감정을 표현한다. 〈아가씨〉에서 가장 중요한 나비 모양의 머리핀은 영화 시작 신에 등장해서 복순네에서 숙희의 머리핀 역할을 한다. 하지만 복순네의 이 나비 모양 머리핀은 보영당의 계단에 있는 비밀 금고를 여는 열쇠이다. 그리고 나중에 정신병원에 갇힌 숙희가 자신의 발에 묶인 쇠사슬을 푸는 열쇠로 사용된다. 나아가서 머리핀의 나비 모양은 때로는 호리병처럼 때로는 영화 마지막 장면의 숙희와 히데코의 정사 신에서 서로 키스하며 서로의 생식기를 애무할 때 완성된 패턴 혹은 드로잉과 같은 것으로 변화 확장해 간다. 〈아가씨〉에서 등장하는 춘화들은 류성희 미술감독과 같이 일하는 여성 미술 팀원들에 의해 그려졌다. 그러나 그것은 속속들이 박찬욱의 성과이다. 왜냐하면 그의 기술은 미묘해서 정확히 감지하지 못하는 그런 것이 아니기 때문이다. 최선의 상태에서 그것은 매혹적인 기술일 뿐만 아니라 관객을 감독과 연대하도록 끌어들이는 것, 즉 마치 농담을 한 사람이 주인공이 아니라 관객 자신인 것처럼 느끼게 만드는 것이다. 그래서 관객들이 그 위트의 대상들에 대한 우월감을 공유하게 만든다. 감독은 이런 영화적 게임에서 단순한 볼모로 축소된 캐릭터와 냉소적인 거리를 유지한다.

박찬욱 터치/초월성의 결과물이 바로 박찬욱의 영화 〈아가씨〉이다. '박찬욱 터치/초월성'은 당신을 2시간 동안 재미있고 세련된 승차감으로 당신을 상상의 세계로 데려갈 것이다. 하지만 냉혹한 현실 속의 주인공을 이상적인 세계로 데리고 가서 그곳에 머물게 한다. 이 지점이 냉혹한 현실로 다시 돌아오게 하는 '루비치 터치'와는 다르다. 이런 측면에서 보면 '박찬욱 터치/초월성'는 무르나우의 알레고리와 유사한 면을 가진다. 예를 들면, 〈마지막 웃음〉(1924)의 엔딩 시퀀스에서 호텔 문지기는 복권에 당첨되어 많은 음식을 시켜 놓고 먹으며 활짝 웃는다. 무르나우는 환상이 실제로 구현될 때 얼마나 즉물적인지 그로테스크한 슬픈 페이소스를 보여준다. 다시 말해 '박찬욱'은 영화 마지막에는 주인공을 비정상적이지만 그 존재 자체가 완전히 구현된 세상에 살게 한다. 그래서 〈아가씨〉에서 '박찬욱 터치/초월성'은 냉혹한 현실 속의 주인공을 안전하고 이상적인 세계로 데리고 가는 초월성, 구원과 관련된다.

남 승 석 _ nam.seungsuk@gmail.com

서강대 철학과. 시카고예술학교 영화 전공. 서강대 영상대학원 영상학 박사. 하바드대 비지팅 펠로우(박사논문 리서치). 논문으로 「분단의 영화적 형상화와 무교적 메타포」 「느와르 장르에서 반영웅 캐릭터의 변화 양상」 등이 있음. 서울예술대학교 영화과 강사.

김성수 감독

제작/ (주)사나이픽처스
감독/ 김성수
출연/ 정우성, 황정민, 주지훈, 곽도원, 정만식, 윤지혜, 김해곤, 김원해, 오연아, 김종수, 김현빈, 윤대열
각본/ 김성수
촬영/ 이모개
조명/ 이성환
음악/ 이재진
음향/ 김창섭
편집/ 김상범, 김재범

결국에는 '공멸' 의 길을 가고 있는 우리들 또는 남성들의 '목숨을 건 노력' 을 담아낸 영화.
비트로 돌아가지 않고 작가주의적 느와르 가능성을 시도했다.
〈아수라〉는 조명, 촬영, 장면구성 등은 지금껏 보지 못했던 스타일과 완성도를 보여주는 탁월한 느와르이다.
영화를 관통하는 염세적인 세계관과 파국적 결말은 오히려 근원적인 현실인식을 일깨운다.
영화는 절대 악인 민선시장의 존재와 누구에게도 일말의 양심을 기대할 수 없는 처참한 지옥도를 통해, '민주주의의 실패' 라는 최종심급을 가리킨다.
악인들이 모두 죽는 파국적인 결말은 두렵지만 새로운 국면의 가능성을 지닌다. 즉 지옥이 망한 뒤에야, 새로운 입헌적 질서를 맞을 수 있다는 의미에서 영화의 정치성은 대단히 급진적이다.

— 추천위원의 선정이유 中

금세 아물어 버린 상처

— 김성수 감독 〈아수라〉

엄준석

괜한 의심일까. 영화를 보고 한도경(정우성 분)의 '상처'가 너무 빨리 낫는다는 생각을 했다. 그는 큰 병을 앓는 부인(오연아 분) 때문에 부패한 시장(황정민 분)과 결탁한 형사다. 김 검사(곽도원 분)란 인물은 상부의 명령 때문에 두 사람이 벌인 일을 추적하고 있다. 특히 한도경의 약점을—박 시장의 비리를 돕고, 그 과정 중 동료 형사(윤제문 분)를 살해한 점—잘 아는 그는 한도경이 박 시장의 첩자가 되게 했다. 박 시장의 비리를 캐낼 결정적인 증거를 찾아낼 목적이었다. 하지만, 한도경의 이중생활은 곧 간파되고 말았다. 배신감을 느낀 박 시장은 한도경의 얼굴을 담뱃불로 지져 버렸다. 여기서 첫 번째 의심이 생겼다. 으레 남아 있어야 할 상처가 없어졌기 때문이다.

한도경은 이중 생활하는 걸 힘들어 했다. 병원비를 대주는 박 시장을 배

신할 수도, 혐의를 포착한 김 검사를 배신할 수도 없었다. 끝내 그는, 원수처럼 지내는 두 사람이 직접 만나 문제를 해결할 수 있는 자리를 만들었다. 첩자까지 심으며 여럿 힘들게 하지 말고 직접 만나 싸우라는 것이었다. 하지만 박 시장은 눈 하나 깜빡하지 않았고, 김 검사는 증거나 빨리 들고 오라고 했다. 결국, 한도경은 박 시장이 보는 앞에서 유리잔을 씹어 삼켰다. 착취당하던 노예가 목숨을 건 저항을 펼친 것이다. 그의 이중생활은 그렇게 마무리되었으나, 입과 내장은 피투성이가 됐다. 두 번째 의심은 여기서 생겼다. 유리 조각 때문에 입과 내장은 피범벅이 되어야 했고 몸에선 비명이 쏟아져 나와야 했으나, 그러지 않았기 때문이다.

박 시장이 한도경의 얼굴을 담뱃불로 지질 때로 돌아가 보자. 박 시장은 내가 한 짓이 세상에 알려져도 "위험해질까. 그냥 태풍 한번 지나가는 거야. 아무리 세게 불어도 절대 쓰러뜨리지 못해. 그 시련을 통해서 이 박성

배는 더 강해지는 거"라고 했다. 카메라는 강한 자신감을 드러내는 그를 앙각으로 포착하며 그가 지닌 권력의 무게를 가늠케 했다. 강한 대비로 쏟아지는 빛-조명은 그의 악마 성향에 구체적 형태를 부여했다. 일반적인 사람들은 죄를 지은 후 벌을 받는다. 나아가 후회하고 반성하는 삶을 산다. 반대로 박 시장은 벌을 거침없이 삼켜 버리며 더 건강한 악마로 성장한다. 우리는 이런 인물이 낯설지 않다. 사회적 비난과 법적 처벌을 받아도 주가가 오르는 식의, 더 크게 성장하는 존재가 있어서다.

맞으면 맞을수록, 맷집이 좋아진다고 믿는 박 시장은 더 큰 판을 벌이려 한다. 뉴타운을 안남시에 들이려는 계획이 이뤄지지 않자 깡패를 부른다. 그중 한 명에게 '커터 칼'을 쥐게 하고, 칼날이 박 시장 자신을 향하게 한다. 깡패와 경찰 그리고 수많은 인파가 뒤섞인 곳에서 그는 커터 칼을 쥔 깡패의 손을 제 정수리로 당겨 상처를 만든다. 기다렸다는 듯이 붉은 피가 그의 얼굴을 덮는다. 연신 카메라 플래시를 터트리던 기자는 그를 희생적인 정치인으로 오독한다. 정치판에서는 상처가 훈장이 될 수 있음을 아는 그가 연출한 연극이다. 정수리에 생긴 상처는 어떻게 될까. 아니나 다를까, 상처를 감싸던 솜이 얼마 지나지 않아 보이지 않는다. 세 번째 의심이 생겨난 지점이다. 커터 칼과 상처, 맷집의 정치. 이 또한 어디서 많이 본 모습이다.

'안남시 재개발 현안 회의를 위한 연석회의' 장면에서도 익숙한 풍경을 발견할 수 있다. 회의가 끝난 후 박 시장과 한도경이 밀담을 나눈다. 밀담을 나누는 장면에 10개의 사진액자가 담겨 있다. 역대 안남시장의 초상이다. 현現 시장, 즉 박 시장과 다르지 않은 이들이기에 한 프레임에 담겼다. 이 씬에서 위로는 양복을, 아래로는 팬티를 입은 시장의 모습도 나온다.

익숙한 장면이다. 우리는 2005년 개봉한 임상수 감독의 〈그때 그 사람들〉에서 위로는 군복을, 아래로는 팬티를 입은 정치인인 차 실장(정원중 분)을 본 적 있다. 여기서 그 의미를 더 깊게 살펴보자. 성기는 인간의 약점이면서 폭력적인 도구가 될 수 있다. 이성의 개입이 종종 실패하는 장소이기 때문이다. 일반적인 사람은 성기를 보호하려 들고, 성기에 대해 조심스러운 태도를 보이려 한다. 강자, 아니 악인은 종종 충동적이기에 성기에 무감각하다. 부단히 성기적으로 살며 성기에 당당하다. 아무렇게나 벗어던진 하의는 그래서 불편하다. 강자의 권력이 거침없는 성기에서 출발한다는 걸 아는 아첨꾼은 권력자의 성기부터 챙긴다. 실장이란 직책으로 박 시장의 부하로 있던 안 실장(김종수 분)이 그의 팬티를 '입혀 주는' 이유다. 부역자의 수발로 지켜온, 참 익숙한 권력. 11번째 액자엔 박성배의 초상이 채워질 것 같다.

악인에게만 상처가 있는 것일까. 그렇지 않다. 질곡의 역사를 거친 우리야말로 진짜 상처가 있다. 나는 이 영화에 나타난 '미군 부대'를 우리의 상처로 읽고 싶다. 원하지 않았던 전쟁, 원하지 않았던 통치. 군사기지는 깊게 베인 상처처럼 남아 있다. 놀랍게도 약자는 상처가 아물기를 원하지 않는다. 외려 내 몸과 얼굴에 남아있길 바란다. 내가 당했던 폭력에 용감해지기를 바라고, 네가 벌인 일을 잊지 않게 하려 한다. 역사의 상흔을 남겨 후대가 더 넓고 깊은 시야를 갖게 하려 한다. 박 시장과 같은 악인은 그곳, 미군 부대에 뉴타운을 만들려 한다. 누가 더 건강한 존재일까. 흉터 없이 매끈한 존재, 흉터가 자연스레 남아 있는 존재.

상처 입은 악인이, 죗값을 치른 그가 얼른 변할 수 있을 것으로 생각해선 안 된다. 무엇이든 쉽게 바뀔 수 있다는 생각도 위험하나, 형벌과 처벌, 비판과 비난만으로 존재가 변할 것이란 생각도 위험하기 때문이다. 그렇다

면 무엇을, 어떻게 해야 할까. 아쉽게도 영화 〈아수라〉는 명쾌한 해답을 내놓지 않았다. 타자에게 가닿을 수 있는 새로운 방식 또는 대안적 태도를 제시하지 않았다. 그저 타자의 죽음을 목격하고 그로부터 도망가는 모습을 보여줬을 뿐이다. 영화의 마지막, 도망치듯 장례식장에서 뒷걸음질치던 카메라가 문제적인 이유가 여기 있다.

우리마저 이 영화에게서 도망칠 수 없다. 그래서 진짜 산 것 같은, 진짜 죽은 것 같은 두 인물을 붙잡으며 작은 해답이나마 찾으려 한다. 그 둘은 병원에서 신음하던 정윤희와 특검의 수사팀 형사 차윤미(윤지혜 분)다. 워낙 남성적인 영화이기에 이 둘을 언급하며 '여성성'에 대해 얘기해야 할 것 같다. 하지만 그러고 싶진 않다. 여성성에 대해 언급한 김성수 감독의 생각도 선뜻 동의할 수 없다. 그는 "나는 지금 이 사회가 가진 문제들에 있어서, 특히 남자들이 문제라고 본다. 여전히 유신 잔당들이 판을 치고 있고, 그들은 하나같이 남자들이다."*라고 하며, 남성이 아닌 다른 성性이 마초적 사회의 대안일 수 있다는 식으로 말했다. 좋은 의미에서 말한 것일 수도 있지만, 특정 성에 대해 판타지를 갖는 것. 이런 판타지가 다른 의미에서 혐오로 발전될 수 있다는 걸 생각하면, 그의 성차 구분을 쉽게 받아들일 수 없다. 숱한 상처에도 거짓말처럼 살아 있는 좀비의 틈바구니에서 그저 '사람' 으로 존재하는 정윤희, 차윤미를 떠올리는 게, 이 영화의 외연을 늘일 방법이라 생각한다.

살 가능성이 없던 정윤희는 "나쁜 짓 하지 마. 너(한도경) 대신 내가 벌 받는 거 알지"라고 한다. 차에 남은 한도경은 그녀의 충고를 되새긴다. 차윤미는 기다렸다는 듯이 나타나 그를 깨운다. 영화는 한도경을 기준으로 정윤희와 한도경이 앞뒤에 배치에 장면을 연결했다. 아니, 비슷한 두 인물을 통해 의미를 연결했다. 한도경의 삶 앞과 뒤에 두 존재가 있다는 것이다. 정윤희의 말마따나, 한도경은 '나쁜 짓' 을 하지 말아야 했다. 무슨 짓을 하든 가족을 지켜야 한다는 가부장적 명령에 충실하기보다, 삶의 마침표를 찍는 '존재' 로 그녀를 대해야 했다. 범행을 공모하러 병실을 찾은 박 시장은 정윤희에게서 '냄새' 가 난다고 했다. 한도경은 그 폭언을 못 견뎌하며 정윤희의 최후와 존엄을 지켜줄 존재로 자신을 인식해야 했다. 그녀의 예언이 적중하듯, 한도경은 '나쁜 짓' 을 저지르다 실패하고 만다. 동업자의 돈줄(박 시장의 마약판매)을 끊어 버렸고, 증거를 김 검사에게 주지 못했다. 두건이 씌워진 그는 김 검사에게 모진 고문을 당한다. 빨갛게 물드는 두건과 함께 그의 존엄이 짓밟히던 순간, 흐르는 피를, 그의 상처를

---

* [씨네 인터뷰] "한국형 범죄 누아르와는 다른 영화를 찍어보자는 생각에서 출발했다" — 〈아수라〉 김성수 감독', 〈씨네21〉, 2016년 9월 29일.

'떨리는' 손으로 닦아 주는 이가 나타난다. 차윤미이다. 모두가 폭력을 행사하고 또 폭력에 무감할 때 유일하게 떨고 있던 자이다.

'살아 있는' 인간이기에 냄새가 나고, 몸도 떤다. 살아 있는 정윤희와 차윤미가, 죽어 있는 한도경을 본 것이다. 상처에서 '인간적인' 냄새를 맡을 수 있다. 상처 입은 인간이 이웃의 상처를 본다. 아물지 않는 상처 때문에 인간답게 아파하고 또 최후를 맞는다. 어느덧 우리는 상처가 거짓말처럼 아무는 존재, 죽어도 죽지 않는 좀비에게 익숙해져 버렸다. 주의를 기울이지 않으면, 금세 아물던 상처를 찾을 수 없던 것처럼 말이다. 마지막 장면, 모두 죽었는데도 누군가의 목소리가 들린다. 한도경이다. "이렇게 될 줄 알았어요. 알면서도 어쩔 수 없네요." 죽은 후에야 삶을 되찾은 자의 후회다. 삶 안에서 삶을 찾으려면 상처가 덧나고, 냄새가 나고, 부단히 떨고 있는 '사람' 을 놓치지 말아야 한다.

엄 준 석 _ um3034@naver.com

1983년 부산 출생. 영화평론가. 2012년 계간 《쿨투라》 평론신인상 부문 당선. 영화비평잡지 《빛평》 편집위원,

윤가은 감독

우리들

제작/ 아토(ATO)
감독/ 윤가은
출연/ 최수인, 설혜인, 이서연, 강민준, 김희준, 김채연
각본/ 윤가은
촬영/ 민준원, 김지현
조명/ 이시현, 이준호
음악/ 연리목
음향/ 김영호
편집/ 박세영

독립영화 일내다. 소녀들의 한방.
한국에 부족한 영(young)한 시선을 담고 있는 영화
아이들의 세계? 어른들의 세계!
나무랄 데 없는 시나리오로 모든 인간관계,
정치적 관계를 시사한다.
역대급 데뷔작, 섬세한 손길로 들여다본 10대들의 세계,
이 정도로 시선 쇼트를 탁월하게 활용한 국내작품을
거의 본 적이 없다.
잊은 걸까? 잊으려 노력했던 걸까?
화려하고 복잡했던 모두의 어린 시절을 날카롭게 집어낸 수작이다.
감성적인 드라마로 고질적인 편견을 다시 생각해보게 하다.

— 추천위원의 선정이유 中

아이들의 성장담과 우리들의 세계

— 윤가은 감독 〈우리들〉

윤성은

〈우리들〉은 초등학교 4학년생인 '선'과 '지아'가 만나고, 가까워지고, 멀어지고, 대립하는 과정에서 친구, 나아가 인간 혹은 그 명사들 안에 존재하는 '관계'라는 것에 대해 조금씩 깨달아 가는 이야기다. 그래서 '성장담'은 〈우리들〉을 소개하는 가장 알맞은 용어이기도 하지만 아이들이 주인공이라는 점 때문에 오히려 대개의 영화들이 보여주는, 특정 사건을 통한 인물의 성장이라는 보편성을 배제하게 만들 수 있다. 〈우리들〉(영제: The World of Us)은 제목 그대로 생의 어느 시점에 있든지 '나'를 포함한 '당신(들)'의 이야기이며, 바로 그 시점에 적용될 수 있는 반성과 성장의 지향점을 담고 있는 작품이다. 그것은 아이러니하게도 단 95분에 담아낸 열한 살 소녀들의 여름이 디테일하고 생생하게 묘사될수록 더욱 분명해진다. 효과적인 대유代喩의 좋은 보기라 할 수 있다.

〈우리들〉은 '선'의 얼굴, 정확히는 선의 표정으로부터 시작한다. 가위바위보로 팀원을 뽑는 체육시간에 그녀의 표정은 기대에서 실망으로, 긴장에서 좌절로 변해간다. 구체적인 상황은 대부분 오프 스크린 사운드로 처리하고 카메라가 느슨한 클로즈업으로 '선'의 움직임을 따라가며 심리를 포착하는 이 장면은 영화에서 가장 인상적이면서 기능적인 신 중에 하나다. 선에게 친구가 없어서 첫째, 외롭고 둘째, 부당한 일을 당해도 자신을 지켜낼 힘이 없다는 두 가지 정보를 정확하고 간결하게 전달하기 때문이다. 이것은 선이 어떻게 해서든 친구를 만들고자 하는 전제이며, 이후 상식적으로 납득하기 어려운 행동들에까지 스스로 정당성을 부여하게 된다는 점에서 중요하다. 중반부, 엄마보다 지아가 좋다는 선의 대사는 농담

반 진담 반이 아니라 가족보다 또래 집단에 더 애착을 갖게 되는 십대의 가치관이 솔직하게 반영된 것이다.

그래서 〈우리들〉은 친구를 사귀고 싶은 왕따 소녀, 즉 성취하기 어려운 목표를 가진 프로타고니스트의 굴곡진 경험담이다. 지아를 만나 붙어 다녔던 방학 몇 주를 제외하고는 수난사라 할 만큼 실패의 연속이지만 '실패담'으로 명명하지 않은 것은 마지막 장면이 암시하는 내면의 성장 및 관계의 전환 국면 때문이다. 여기에 이르기까지 영화는 꼼꼼하게 오브제와 공간, 대사, 사건과 캐릭터를 쌓아올린다. 특히, 이러한 요소들이 반복해서 등장할 때 이전과 다른 의미를 발생시키는 방식은 〈우리들〉의 주요한 내러티브 전략이다. 그것은 본래의 의미를 변형시킨다기 보다 대부분의 언어와 사물과 현상과 인간 안에 내재된 '이중성'을 부각시키는 것에 가깝다. 그 간극을 깨달아가는 과정이 선에게는 곧 어른이 되기 위한 통과의례이며 이 지점에서 영화는 때로 냉소적이고 때로 잔혹한 어른들의 동화가 된다.

선이 성장담에 가장 큰 지분을 차지하는 것은 지아라는 인물이다. 선이 왕따라는 사실을 모르는 전학생 지아는 선에게 선물처럼 다가온다. 청소를 대신해주고도 '보라' 일행에게 따돌림을 당한 직후, 선은 두 번 밖에 본 적 없는 지아에게 선뜻 자신이 만든 팔찌를 건넨다. 선의 솜씨를 인정해주고, 가난함을 개의치 않으며, 가진 것을 베풀 줄도 아는 지아는 친구로서 완벽해 보인다. 선은 엄마를 졸라 지아를 자기 집에서 자게 하거나 오이김밥을 마련하고, 봉숭아물을 들여 주는 등 최선을 다할 뿐 아니라 도둑질을 용인해주고 그 작물을 소장하는 비양심적 행동까지 하게 된다. 때문에 개학 날, 보라의 친구가 되어 있는 지아는 선에게 충격적이다. 여기에 우연히 알게 된 지아의 가정환경과 전 학교에서의 이력은 지아를 완전히 낯선 존재로 만든다. 지아는 왕따 문제에 있어 선보다 심한 상처를 안고 있는 인물이었으며 그것은 우선 '거짓말' 이라는 방어기재로 나타나더니, 이후 '모함', '폭력' 등으로 심화되어 선을 자극하고 갈등을 폭발시킨다.

지아가 빛과 그림자를 가진 대표적인 인물이라면, 색연필은 상반된 의미가 투영되는 대표적인 사물이다. 색연필은 지아가 훔쳐서 선에게 준 것으로, 공히 도둑질이라는 위법 행위를 묵인하면서 생겨난 둘만의 비밀이 담긴 물건이다. 소녀들만의 비밀은 신뢰와 우정을 부쩍 자라게 한다. 그런데 지아는 보라 일행과 친해진 후 색연필을 빼앗음으로써 선과의 우정까지 회수하려 한다. 색연필은 우정의 매개에서 결별의 징표로 전락한다. 그러나 정확히는 사물의 본래 의미가 변질되었다기 보다 때에 따라 다른 용도로 활용된 것 뿐이다. 두 사람이 우연히 만나 친해졌던 '육교' 라는 공간이 종반에는 지아가 술에 취한 선의 아버지를 맞닥뜨리는, 몸싸움의 빌미가 되는 공간으로 다시 등장하는 것도 유사한 맥락에 있다. 아이들의 상하 권력 관계가 그대로 드러나는 피구 시합도 마찬가지다. 선은 같은 인물과 사물, 공간과 사건에 다양한 감정과 의미를 가산하며 성장한다. 영화의 마지막 신, 다시 시작된 피구 경기에서 선은 자기보다 더 약자가 된 지아의 편을 든다. 피구 시간은 이제 그녀에게 따돌림이나 상처 이상의 의미로 남을 것이다.

고작 초등학생들의 교우 관계가 성인들의 커뮤니티에도 적용될 수 있는 것은 인물들이 표상하는 계층이 명확하고 그 관계에서 벌어지는 사건들도 유사하기 때문이다. 작고 마른 몸의 선에 비해 큰 키와 좋은 체격을 가진 보라와 지아는 신체적으로 우월한 아이들이다. 보라와 지아는 반에서 1,2 등을 다툴 정도로 우등생이지만 선은 이 부분에서도 둘의 상대가 되지 못한다. 경제적인 차이 또한 두드러진다. 부엌 겸 거실, 두 개의 작은 방이 연결된 선의 집에서 풀 샷은 늘 문이나 벽을 걸쳐야 하는 반면, 운동장 같은 지아의 집 거실에서는 광각으로 찍어도 시야가 탁 트여 있다. 보라 또한 핸드폰, 매니큐어를 소유하고 있고 영어학원을 다니는 등 경제력이 뒷받침 되어 있음을 짐작할 수 있다. 여기서 보라와 지아가 선보다 더 가진 것은 부모에게서 대물림 된 것들인데, 과거에는 본인의 노력이 좌우한다고 믿었던 학업적 성취도 현대에는 예외가 아니다.*

따라서 보라가 학급에서 권력과 세를 갖고 있다는 점은 성인 사회의 축소판이 된 아이들의 세계를 보게 한다. 신체적, 학업적, 경제적 우위를 가

---

* 한국보건사회연구원의 '사회통합 실태진단 및 대응방안II' 연구보고서에 따르면 부모의 사회계층 수준과 사회적 자본이 학업성적에 유의한 영향력을 주는 것으로 나타났다., "부모의 경제력이 자녀 학업성적 결정한다", 한국경제, 2016년 2월 9일
http://www.hankyung.com/news/app/newsview.php?aid=201602096425g

진 그녀는 체육시간에 가위바위보로 자신의 팀을 정할 수 있는 위치에 있다. 보라 일행과 친해지고픈 선의 열망은 주류 사회에 편입하고자 하는 범인들의 욕구와 유사하다. 그러나 동시에 지아에 대한 선의 태도에서는 순수함도 발견되는데, 지아의 배신과 거짓말, 왕따 이력에도 불구하고 관계를 회복하고자 노력하기 때문이다. 보라의 매니큐어를 바른 후에도 지아에 대한 미련은 남아있다. 전학생 지아는 다르다. 다른 조건에 있어서는 보라와 대등하나 가정 환경에 대한 콤플렉스와 왕따 트라우마를 가진 지아는 쉽게 선을 배신하고 보라의 편에 선다. 그녀는 본능적으로 선과 친구로 남는 것보다 보라 일행과 친해지는 것이 반에서 자신의 입지를 점하는데 유리하다는 것을 '눈치' 챈 것이다.

여기서 '눈치' 는 어른에게나 아이에게나 사회생활과 관계유지에 중요한 재능이다. 보라는 선이 늘 혼자 착한 척을 한다고 화를 낸다. 그것이 저

학년 때까지만 해도 친했던 둘 사이를 갈라놓은 이유였을 것이다. 아마도 '善' 이라는 한자를 쓰고 있을 이름이 암시하듯 선의 착함은 위선이라기보다 타고난 성격에 기인한 것이겠지만 그것이 또래의 마음을 불편하게 할 정도라서 문제다. 남의 기분을 빨리 짐작하고 그에 맞추어 행동하는 '눈치' 가 선에게는 결여되어 있다. 때문에 그녀는 왕따 신세를 벗어나기 어렵다. 그러나 좁은 의미의 정치판이 아니더라도 '정치' 라는 것이 존재하는 크고 작은 커뮤니티에서 눈치 없는 이들이 당해야 하는 수모는 그 결핍이 가져오는 피해의 정도보다 훨씬 가혹한 것이 사실이다.

마지막으로, 선과 지아의 관계가 파국으로 치닫는 과정에는 '응보' 의 서사가 있다. 이 또한 출세나 집권執權을 위해 성인들이 서슴지 않는 행위지만 대개 교묘하게 이행되는 반면, 아이들의 세계에서 이것은 매우 직접적이다. '눈에는 눈, 이에는 이' 라는 구호를 실천하듯 이들은 모든 것을 그대로 따라한다. "너 진짜 나한테 왜 그래?", "그럼 넌 나한테 왜 그래?",

"네가 먼저 그랬잖아.", "네가 먼저 그랬잖아.", "내가 뭘 어쨌는데?", "그럼 내가 뭘 어쨌는데?" 라는 대화는 이들 응보의 일부이자 경향이다. 뒷담화는 뒷담화로, 폭로는 폭로로 되갚는 반복적 사건들 속에 둘은 만신창이가 된다. 정계, 재계, 학계에서 예외 없이 벌어지는 난장亂場의 축소판이 씁쓸하다.

이 지난한 악순환을 끊어내는 것은 아이러니하게도 등장인물 중 가장 어린 선의 동생, '윤' 이다. 윤은 선에게 친구와 서로 때리고 맞기만을 반복하면 언제 노느냐고 묻는다. 선의 깨달음은 체육 시간에 지아와 나란히 서있는 마지막 장면에서 확실해진다. 영화를 보는 '우리들' 에게 남기는 메시지도 명확하다. 교훈과 여운을 함께 남기고, 끝에서 다시 시작을 보게 하는 연출이 놀라울 만큼 노련하다. 윤가은 감독의 두 번째 장편에서도 이처럼 멋진 성장담을 기대한다.

윤 성 은 _ amee9@naver.com

영화학 박사. 2011년 영평상 신인평론상 수상 이후 다양한 매체를 오가며 영화평론가로 활동하고 있다. 2015년 공연과 리뷰 PAF 평론상 수상.

이재용 감독

죽여주는 여자

제작/ 한국영화아카데미 (KAFA FILMS)
감독/ 이재용
출연/ 윤여정, 전무송, 윤계상, 안아주, 박규채, 조상건, 예수정, 정재웅, 박승태, 체리쉬 라미레즈, 서현우
각본/ 이재용
촬영/ 김영노
조명/ 홍명수
음악/ 장영규, 김선
음향/ 이승철
편집/ 함성원

감독은 〈죽여주는 여자〉에서 환향녀還鄕女, 위안부,
기지촌 양공주, 성매매 여자의 굴레를 거쳐
우리의 패배의 역사 위에 덩그러니 얹혀있는 여성들 앞에
이기적 유전자를 단 못난 지력知力의 남성들을
차분하게 질타하는 냉정함을 보인다.
품격 있게 못 죽어도 원하는 죽음을 바라는 노인문제를
비켜가지 않는다. 그리고 윤여정의 연기가 인상적이다.
일상의 구석을 공공연한 상영의 장으로
끌어올리는 관찰력으로 어두운 사회의 이면을 드러낸 영화다.

— 추천위원의 선정이유 中

빛나는 시대의 음울한 풍경

— 이재용 감독 〈죽여주는 여자〉

장석용

〈죽여주는 여자〉(The Bacchus Lady, 2016, 111분)는 2016년 10월 6일 개봉하여 121,444명의 관객을 동원한 영화이다. 이 영화를 늦가을의 회색 이미지로 봐도 좋고, 인생의 겨울채비를 하는 노인의 이미지로도 읽어도 좋다. 핏기 빠진 65세의 '박카스 아줌마' 로 설정된 소영(윤여정, 1947년 6월 19일생)은 기지촌 출신으로 노인들을 상대로 성매매를 하는 여성이다.

착취, 배설, 욕망의 해방구로 기능했던 여인은 시대의 굴곡마다 수난을 당한 여인의 상징으로 비춰진다. 감독은 〈죽여주는 여자〉에서 환향녀還鄕女, 위안부, 기지촌 양공주, 성매매 여자의 굴레를 거쳐 우리의 패배의 역사 위에 덩그러니 얹혀있는 여성들 앞에 이기적 유전자를 단 못난 지력知力의 남성들을 차분하게 질타하는 냉정함을 보인다.

이재용은 특정 장르에 집착하여 흥행감독의 노하우를 습득하여 추종하

거나 고상한 영상철학으로 포장하여 권위를 내세우는 속물근성의 감독과는 궤를 달리하며 자신의 주관과 의지대로 모험심을 불태우며 신선한 영화 작업을 해오는 감독이다. 그는 기마민족의 이동성을 물려받았는지 모던한 감각으로 영화적 변주를 구사, 실험성이 뛰어난 다양한 영화들을 만들어 왔다.

그의 영화적 행위는 비교적 등장인물 간의 수평관계를 유지한다. 사건과 상황의 변화과정 속에 등장인물들의 무표정, 생산이 정지된 성性, 불법으로 규정된 무질서 등이 촘촘히 구축되어있다. 그는 예비군 훈련장이나 유원지의 '커피/돗자리 아줌마'와 동맥同脈의 '박카스 아줌마'에게 생존과 죽음에 얽힌 다각적 사회적 의미(노인의 삶/ 병病/ 성性)를 부여한다.

3.1 운동의 시발지이며 우리나라 최초의 공원인 탑골공원 안팎에는 노인들을 유혹, 의도적 교접을 시도하는 '박카스 아줌마'가 있다. 반지르한

빌딩들 틈 사이의 후미진 공원은 노인의 삶과도 의미가 상통한다. 감독은 무산된 〈귀향〉의 소재인 주류에서 비켜나온 내국인이나 생존을 위해 가족과 떨어져 있는 외국인과 같은 소외자 문제를 〈죽여주는 여자〉에서 노인문제로 심화시킨다.

이재용 감독은 박진표 감독의 낭만적 멜로드라마 〈죽어도 좋아〉가 다루었던 '노인의 성' 문제의 희극성을 우회하여 노인의 성, 생계, 중풍, 치매, 고립 등을 사회문제로 부각시켜 커다란 반향을 불러 일으켰다. 사실 한국적 영화풍토에서 비상업 저예산 영화의 주목할 영화감독들이 지향해야 할 대표적 소재는 환경, 인권, 노동, 장애인, 노인 문제와 같은 것들이다.

영화적 파격으로 각인된 이재용(1966년 9월 5일~)감독은 영화 아카데미 재학시절 변혁감독과 공동각본, 감독한 〈호모 비디오쿠스〉(1991년)로 전 세계적 주목을 받았다. 이 작품은 미디어에 종속되어 황폐화 되어가는 인간을 고발한 영화로 샌프란시스코 영화제 최우수 단편영화상, 클레르몽 페랑영화제 예술공로상과 젊은 비평가상 등 다수의 상을 받았다.

열 살 연하의 동생 남자와의 사랑에 빠지는 극영화 감독 데뷔작 〈정사〉(1998년)는 제22회 황금촬영상 신인감독상, 후쿠오카 아시아영화제 그랑프리를 수상한 바 있다. 파격적 성담론을 생산하며 연출력을 인정받았던 그가 〈두근두근 내 인생〉 이후 2년 만에 선보인 〈죽여주는 여자〉는 비교적 정제된 모습이었다. 감독의 영화적 재능, 연기자들의 연기력 외에도 소재와 메시지도 시사적이었다.

〈정사〉 이후 이재용은 성에 관한 엽기적 상상의 〈순애보〉(2000), 조선판 연애담 〈스캔들: 조선남녀상열지사〉(2003), 인터넷 멜로 단편 〈사랑의 기쁨〉(2004), 청소년의 성에 관한 상상을 그린 〈다세포 소녀〉(2006), 여배

우들의 자유방담을 담은 다큐적 〈여배우들〉(2009), 실험적 다큐 〈뒷담화 : 감독이 미쳤어요〉(2013), 선천성 조로증 아이를 가진 가족의 소중함을 일깨운 〈두근두근 내 인생〉(2014)에서 각본, 감독을 맡았다.

수상실적이 좋은 영화의 절대적 평가는 아니지만 2016년 다양성 영화 분야에서 5위(1위 '무현, 두 도시 이야기' 192,668명)를 차지한 저예산 영화 〈죽여주는 여자〉는 2016년 로마 제17회 아시아티카 영화제에서 작품상, 제10회 몬트리올 판타지아국제영화제 각본상, 제10회 아시아태평양 스크린어워즈에서 윤여정이 심사위원대상, 2016 올해의 여성영화인상을 수상했다.

감독의 모차르트적 상상력이 낳은 영화는 청소년 관람불가 등급으로 따스한 애정을 갖고 살펴보지 않는다면 성매매 할머니 소영, 트랜스젠더 집주인 티나, 가난한 장애인 피규어작가 도훈, 어느 병원 원장 혼외자 코피노 소년 민호와 같은 등장인물과 "나랑 연애하고 갈래요? 잘 해 드릴게" 요

같은 대사는 피곤하고 분주한 현대인들에게는 기피하고 싶은 대상일지도 모른다.

우리 현대사의 희생자로서 6·25 전쟁 일주일 전에 출생한 전쟁고아 소영(본명 양미숙)의 식모, 공장 근로자, 미군 기지촌 여성을 거쳐 현재에 이르는 과정은 선택 사항이 아니었다. 타이트한 옷을 즐겨 입는 그녀는 냄새나는 쪽방에서 단 돈 몇 만원에 낯선 노인들에게 성을 팔지만, 허접한 할매들과는 차원이 다른 왕년에 '미국 물' 좀 먹은 여자라고 위안의 허세를 떤다.

죽여야 살아난다는 죽음과 죽임의 '유리' 연상의 종교적 담론이 형성된다. 어느 날, 단골인 뇌졸중 환자 송노인은 죽여 달라는 간청을 한다. 고민 끝에 소영은 진짜 그를 '죽여주게' 된다. 그녀의 또 다른 서비스로 입소문을 타고, 현재적 삶을 마감하고 싶은 중증환자와 고독한 노인들의 청탁이 이어진다. 깊은 혼란 속에 소영은 같은 이유의 노인들을 직접 '죽여주게' 된다.

감독은 동정심을 애써 참으며 따스한 시선으로 일상화된 상처를 안고 살아가는 소외 계층의 아픔을 감싼다. 그는 이질적 삶이 용인되는 공간 이태원을 만들고, 흐린 기억 속의 소영들을 창조한다. 자식을 버렸고, 생존을 위해 수치심을 거세시키고, 주변의 아픔을 자기 것으로 여기며, 강한 생명력으로 자비를 베풀고 그 죄를 다 안고 간 화엄보살이 된 여인들이다.

죽음을 방조, 살인한 혐의로 소영은 체포된다. 사전 정지 작업으로 그녀는 절에 가서 기도도 하고 이웃들과 잔치도 벌인다. 체포되면서 '차라리 잘 됐지, 세 끼 밥 다 주고' 하던 '미국 물' 좀 먹은 여자는 부대끼며 살던 물을 떠나 교도소에서 비로소 자유가 되는 아이러니를 낳지만 사회와의 단절, 삶에 대한 동력의 상실로 급격히 쇠약해진다. 결국 허망한 죽음에 이른다.

쓸쓸함이 감도는 무연고납골당의 안치모습, 자신들을 희생하며 헌신한 세대에 대한 영화적 헌사獻辭, 감독은 양미숙(죽어서 이름을 찾음)의 죽음을 통해 사회적 약자를 배려하기 위한 최소한의 사회적 안전망 구축을 바란다. 고령화 사회에서 실기失機한 세대, 참혹한 현실에 대한 감독의 영화적 통찰력, 그 사회성 짙은 메시지는 천둥소리와 같은 울림으로 다가온다.

장 석 용 __ changpau@hanmail.net

영화평론가. 저서로 『코리안 뉴웨이브의 징후를 찾아서』 『가슴으로 읽는 영화이야기』, 역서 『영화연구』 등이 있으며 무용 및 연극, 문화비평 활동을 하고 있다.국제영화비평가연맹 한국회장, 한국영화평론가협회회장 역임. 한국예술평론가협의회 회장.

나, 다니엘 블레이크
〉〉〉켄 로치 감독

외국 영화

라라랜드
〉〉〉데이미언 셔젤 감독

다음 침공은 어디?
〉〉〉마이클 무어 감독

레버넌트: 죽음에서 돌아온 자
〉〉〉알레한드로 곤잘레스 이냐리투 감독

설리:허드슨강의 기적
〉〉〉클린트 이스트우드 감독

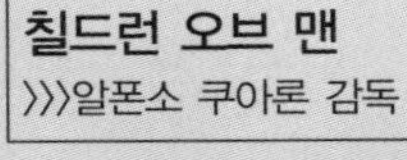

칠드런 오브 맨
〉〉〉알폰소 쿠아론 감독

오베라는 남자
〉〉〉하네스 홀름 감독

자객 섭은낭
〉〉〉허우 샤오시엔 감독

캐롤
〉〉〉토드 헤인즈 감독

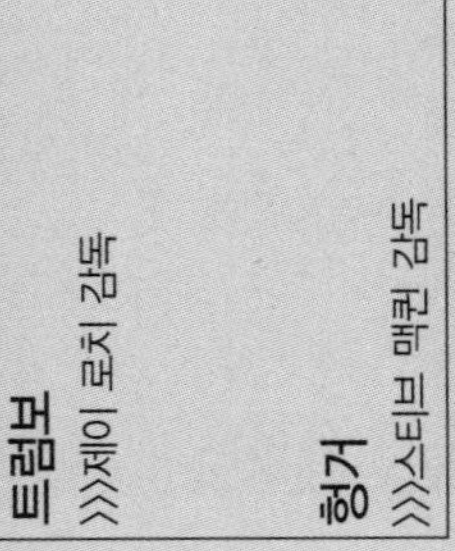

트럼보
〉〉〉제이 로치 감독

헝거
〉〉〉스티브 맥퀸 감독

나, 다니엘 블레이크

감독/ 켄 로치
출연/ 데이브 존스, 헤일리 스콰이어,
[cut off] 퍼시, 브리아나 샨, 딜런 맥키어넌
각본/ 폴 래버티
촬영/ 로비 라이언
음악/ 조지 펜튼
편집/ 조나단 모리스

켄 로치 감독

2016 단연 최고의 영화다. 대영제국 복지정책의 허상을 여지없이 폭로했다.
내용과 형식 모두 정의로운, 영화로 인권운동을 하는 영화다.
소시민의 삶에 대한 자각, 우리사회에 위로가 될 만한 작품이다.
영화는 선별적 복지의 아이러니를 보여주며, 사회복지 시스템의 실상을 고발한다. 그리고 사람들 사이의 연대를 비춘다.
영화는 인간으로서의 존엄을 지키고자 하는 이들의 목소리를 들려준다. 포기와 수치를 강요하는 사회에서,
인간으로서의 권리와 존엄을 지키고자 했던
그의 마지막 말이 쟁쟁한 여운으로 남는다.
얼음을 녹이는 따듯한 피, 거장의 숨결

— 추천위원의 선정이유 中

'시민' 다니엘 블레이크! '자기선언'으로서 호명

— 켄 로치 감독 〈나, 다니엘 블레이크〉

이현우

켄 로치의 〈나, 다니엘 블레이크〉를 '올해의 영화' 중 한 편으로 꼽는 데 전혀 주저하지 않았지만 막상 그에 대한 리뷰를 제안 받고서는 욕심과 현실적 제약 사이에서 망설였다. 좋은 인상을 받은 영화에 대해 소감을 적는 건 마다할 일이 아니지만 칸국제영화제에서 '블루칼라의 시인' 켄 로치에게 두 번째 황금종려상을 안긴 이 영화에 대해 내가 뭔가를 잘 말할 수 있는 건지, 게다가 마감 안에 리뷰를 쓸 수 있을지 자신이 서지 않았다. 영화평론이 주업이 아니고 영화중독자도 아니어서 나의 영화관람 횟수는 평균적 관객 수준에 머문다. 켄 로치의 영화들에 한정하더라도 근년에 본 영화는 〈엔젤스 셰어: 천사를 위한 위스키〉(2012)가 유일하다. 그 사이에도 이 거장은 극영화로 〈지미스 홀〉(2014)을, 다큐로는 〈1945년의 시대정신〉(2013)을 찍었다. 이런 직전 작들과의 연관 속에서, 더 나아가서

는 50년 전에 찍은 BBC 드라마 〈캐시 컴 홈〉과의 주제적 연관성 속에서 〈나, 다니엘 블레이크〉를 평한 리뷰도 읽다 보니 내가 이 리뷰의 적임자가 아니라는 사실이 분명했다. 그럼에도 영화에 대해서는 각자가 평론가라는, 오늘의 '시대정신' 을 배경 삼아서 〈나, 다니엘 블레이크〉가 무엇을 보고 느끼고 생각하게 하는지에 대해 몇 마디 적고자 한다.

개인적인 연상일 수도 있지만 〈나, 다니엘 블레이크〉를 보면서 내가 떠올린 영화는 다르덴 형제의 〈내일을 위한 시간〉(2014)이었다. 똑같이 칸에서 환대를 받은 감독들의 최신작이고 노동문제를 다루고 있다는 점에서 이 연상이 특별하지는 않다. 내가 〈내일을 위한 시간〉을 2014년 초에, 그리고 〈나, 다니엘 블레이크〉는 2016년 말에 같은 영화관에서 보았다는 점이 두 영화를 같이 묶어보는 데 다소간 영향을 미쳤다 하더라도. 각각 주

인공 노동자가 처한 부조리한 상황을 다루고 있다는 점 외에 이야기를 이끌어 나가는 데 특별한 기교를 구사하고 있지 않다는 점도 두 영화의 공통점이다. 그래서 내게는 두 영화가 같은 '스타일'을 갖고 있는 것처럼 보였고, 심지어 같은 감독의 영화라고 속여도 넘어갈 듯싶었다.

영화평론가 정한석은 〈내일을 위한 시간〉에 대한 단상에서 이 영화가 매우 투명하다고 지적하면서 "〈내일을 위한 시간〉은 켄 로치의 영화가 아니다"라고 적었다. 칭찬의 말은 아니다. 비밀과 불투명함을 장기로 보여주던 다르덴 형제가 이 영화에서는 켄 로치를 흉내 내는 것처럼 보인다는 비판이기에 그렇다. 송경원도 〈내일을 위한 시간〉이 다르덴 형제의 어떤 영화보다 명료하게 정해진 결말을 향해 달려간다고 지적하며 "일부에서는 이런 방식 때문에 인물과 카메라 사이에 존재했던 치열한 긴장감이 다소 옅어졌다고도 평가한다"고 덧붙인다. 그렇게 긴장감을 떨어뜨리면서 다르덴 형제는 결과적으로 켄 로치식 영화를 찍었다는 말로 이해할 수 있을까. 다르덴 형제와 켄 로치가 결코 같은 범주의 영화감독으로 분류되지는 않겠지만 예외적으로 〈내일을 위한 시간〉과 〈나, 다니엘 블레이크〉 사이의 거리는 멀지 않다. 그래서 "이 영화는 작은 시골 마을에서 일어난 부조리를 관찰한다. 동시에 오늘날 전 세계 동시다발적으로 일어나고 있는 자본주의의 망가진 시스템을 고발한다."(송경원)는 〈내일을 위한 시간〉에 대한 총평을 약간 수정하면 그대로 〈나, 다니엘 블레이크〉에 대한 기술이 된다. '작은 시골마을'을 '도시'로, '자본주의의 망가진 시스템'을 '영국의 복지 시스템'으로.

영국 뉴캐슬에서 사는 59살의 목공 노동자 다니엘 블레이크는 심장 질환으로 주치의에게서 노동 불가 판정을 받는다. 정직한 노동자로 평생을 살아왔지만 치매인 아내를 먼저 보낸 그에게 일을 하면 안 된다는 처방은 치명적이다. 당장 생계가 문제가 된 그가 그나마 기댈 수 있는 게 정부의 복지 시스템이지만 이 시스템의 관료적 비인간성은 오히려 다니엘을 점차 파국으로 이끈다. 영화는 어두운 화면 속에서 다니엘이 의료수당 담당자와 긴 통화를 나누는 장면에서 시작한다. 자신의 건강 상태에 대해 설명하려고 하지만 담당자는 기계음과 같은 목소리로 형식적인 질문들만 고집스레 나열한다. 다니엘이 어이없어하면서 농담 섞인 항의를 하자 담당자는 지원 심사에서 탈락을 선고한다. 심사결과에 승복하지 않고 항소하려고 하지만 이 또한 절차가 너무 복잡하다. 장시간 통화 대기 끝에 다니엘이 알게 된 것은 지극히 부조리한 심사결과 통보와 항소 절차다. 모든 수속이 인터넷을 통해 이루어지지만 다니엘은 마우스가 뭔지도 모르는 '연필 세대'다. 실업수당이라도 받기 위해서 구직센터를 찾지만 관료주의의 철벽은 어디에서나 그를 가로 막아선다. 다니엘은 도시로 갓 이사를 온 케이티가 버스를 잘못 타 지각을 하는 바람에 구직센터 직원으로부터 매몰찬 대우를 받는 것을 보고서 항의하다가 같이 내쫓긴다. 두 아이의 엄마인 젊은 미혼모 케이티와 다니엘의 인연은 그렇게 시작되는데, 다니엘은 전기마저 끊긴 케이티의 집에 동행하여 집 수선을 도와주고 전기료도 보태준다. 힘겨운 처지에 놓여 있지만 케이티는 청소 일을 해서라도 어떻게든 포기하지 않고 삶을 꾸려가며 통신대학에 진학하겠다는 꿈도 갖고 있는 여자다. 두 사람은 희망을 가질 수 있을까? 켄 로치는 쉽지 않다고 말한다. 희망을 말하기에는 현실이 너무 냉혹하고 부조리하기에 그렇다. 〈나, 다니엘 블레이크〉는 가감 없이 이 현실을 직시한다.

아이들만 챙겨주느라 제대로 먹지 못하고 오래 굶주린 케이티는 식료품 구호센터에서 허기를 이기지 못해 파스타 재료 통조림을 뜯어서 허겁지겁 입에 욱여넣다가 결국 흐느끼고 만다. 그녀의 경제적 현실은 결코 인간다운 삶을 허락하지 않는다. 딸아이의 밑창이 떨어진 신발 때문에 학교 아이들의 놀림감이 되자 케이티는 결국 성매매에까지 나서게 된다. 사정을 짐작한 다니엘이 케이티가 일하는 곳까지 찾아가지만 케이티를 부끄럽게 만들 뿐 해결책이 찾아지지는 않는다. 켄 로치가 황금종려상 수상 소감에서 언급한 대로 영국은 "세계에서 부유한 나라"이다. 하지만 이 부유한 나라의 시민이면서도 다니엘과 케이트가 경험하는 것은 자존감을 가질 수 없는 '밑바닥'이다. 정직과 성실이라는 미덕으로도, 복지제도라는 허울로도 구제할 수 없는 현실에서라면 무엇을 할 것인가.

다니엘과 케이티가 겪고 있는 상황을 묵묵히 보여주기만 한 카메라와는 달리 다니엘은 한 차례 반란을 기도한다. 지원의 대가로 그에게 수치심만

을 강요한 구직센터 건물 벽면에 그는 스프레이로 큼지막하게 이렇게 적는다. "나 다니엘 블레이크. 굶어죽기 전에 항고일 배정을 요구한다. 상담 전화의 구린 대기음도 바꿔라." 무얼 한 것이냐는 질문에 다니엘은 '나의 첫 예술작품' 이라고 답한다. 분류하자면 그래피티 아트에 해당하겠다. 목수 다니엘이 그래피티 아티스트로 탄생하는 장면이라고 할까. 카메라와 함께 무거운 마음으로 그의 일상을 뒤따라온 관객들에게 카타르시스를 제공해주는 장면이기도 하다. 핵심은 영화의 제목이기도 한 '자기 선언' 으로서, '자기 긍정' 으로서 '나. 다니엘 블레이크' 다. 다니엘은 한갓 의료수당이나 실업수당 등의 지원 대상이 아니라 고유명사이고 인격체다. 이렇게 당당하게 자신을 주장하는 모습에 길 가던 이들은 박수를 보내고 한 실업자는 '영웅' 이라고 치켜세운다. 심지어 경찰차에 실려 가는 다니엘을 향해 '다니엘 블레이크 경! 이라고까지 호명한다.

하지만 다니엘의 멋진 반란은 일회적인 시도에 머물고 만다. 기물파손 혐의로 구치소에 수감된 다니엘은 재범에 대한 경고와 함께 훈방 조치되고 집에 칩거한다. 마침내 다니엘은 케이티와 함께 항고재판에 출석하게 되는데, 긴장한 그는 준비한 진술서를 낭독할 기회도 갖지 못한 채 심장마비로 쓰러진다. 장례식장에서 케이트가 대독한 진술서는 이 영화의 메시지를 그대로 응축하고 있다. “나는 의뢰인도 고객도 사용자도 아닙니다. 나는 게으름뱅이도 사기꾼도 거지도 도둑도 보험번호 숫자도 화면 속 점도 아닙니다. 난 묵묵히 책임을 다해 떳떳하게 살았습니다. 난 굽실대지 않았고 이웃이 어려우면 그들을 도왔습니다. 자선을 구걸하거나 기대지도 않았습니다. 나는 다니엘 블레이크. 개가 아니라 인간입니다. 이에 나는 내 권리를 요구합니다. 인간적 존중을 요구합니다. 나, 다니엘 블레이크는 한 사람의 시민, 그 이상도 이하도 아닙니다.” 이 이상 무슨 말이 필요하냐는 듯, 영화는 거기서 끝난다.

영화평론가 정지연의 지적대로 켄 로치의 이 '저항적 멜로드라마' 는 "딱히 언어적인 설명을 필요로 하지 않는 작품" 이다. 너무 투명해서 해석할 거리도 따로 있지 않다. 그래서 '평작' 이라고 부르는지도 모르겠다. 그렇지만 처음 이 영화를 보았을 때처럼, 짧은 리뷰를 마무리하면서도 다행스럽다는 느낌이 든다. 그리고 고맙다는 느낌도. 다니엘 블레이크, 당신이 있어주어서. 은퇴를 번복하고 켄 로치, 당신이 영화 〈나, 다니엘 블레이크〉를 만들어주어서. 그건 인간으로서의 권리가 무시되고 인간적 존중에 대한 요구가 사치로 여겨지는 사회에서 우리가 여전히 벗어나지 못하고 있기 때문일 것이다.

이 현 우 _ mramor@empas.com

서평가. 대학 안팎에서 러시아 문학과 세계 문학, 인문학을 강의한다. 저서로 『로쟈의 인문학 서재』 『책을 읽을 자유』 『아주 사적인 독서』 『로쟈의 러시아 문학 강의』 등이 있음.

마이클 무어 감독

다음 침공은 어디?

감독/ 마이클 무어
출연/ 마이클 무어
제작/ 칼 딜, 티아 레신, 마이클 무어

마이클 무어가 2016년에 내놓은 〈다음 침공은 어디?〉는 이제까지의 마이클 무어 영화와 궤를 같이 한다. 그는 9개국을 침략(?)하면서 미국이 가지지 않은 그들의 제도를 하나하나 가져간다. 그렇기에 〈다음 침공은 어디?〉는 공감과 함께 자괴감을 동시에 안긴다. 우리가 사는 나라는 지금 무엇을 하고 있는가? 왜 우리는 이런 영화를 보면서 그저 부러워만 해야 하는 것인가? 마이클 무어의 돌직구는 바다 건너에 있는 우리에게도 묵직하게 다가온다.

— 추천위원의 선정이유 中

‘침공 좋아하는’ 미국에 던지는 돌직구

— 마이클 무어 감독 〈다음 침공은 어디?〉

임동현

마이클 무어의 영화는 항상 뭔가를 기대하게 만든다. 그 이유는 아마도 20년 전인가, 선배들을 따라 멋모르고 간 한 다큐멘터리 영화제에서 ‘엄청 지루한’ 다큐영화를 본 후 졸음으로 가득찬 필자의 눈꺼풀을 번쩍 뜨게 한 〈로저와 나〉의 충격 때문이었던 것 같다.

그는 미국을 ‘멍청한 나라’ 라고 조롱하고, 그 멍청함을 당당하게(?) 전 세계 영화 관객들에게 보여준다. 그렇게 미국의 총기 소유, 이라크 침공, 의료보험 민영화 등을 꼬집었던 마이클 무어는 마침내 ‘침공을 좋아하는’ 미국에 이런 제안을 한다. ‘총성도, 약탈도 없이 다른 나라를 침공하겠다’.

마이클 무어가 2016년에 내놓은 〈다음 침공은 어디?〉는 이제까지의 마이클 무어 영화와 궤를 같이 한다. 그는 9개국을 침략(?)하면서 미국이 가

지지 않은 그들의 제도를 하나하나 가져간다.

8주 유급휴가와 '13월' 추가 급여가 있는 이탈리아, 셰프가 학교 학생들에게 영양가 있는 코스 요리를 급식으로 주는 프랑스, 숙제와 시험이 없음에도 교육 강국이 된 핀란드, 외국인들에게도 대학 등록금을 받지 않아 '학자금 대출' 이라는 것이 아예 없는 슬로베니아, 마약을 처벌 대신 치료로 다스리는 포르투갈, 재소자에게 편한 생활을 제공하면서 범죄율을 최소로 낮춘 노르웨이, 과거사를 숨김없이 가르치는 독일, 그리고 이슬람 국가임에도 여성의 권리를 헌법에 보장한 튀니지와 세계 최초로 여성대통령을 배출하면서 여성 인권을 신장시킨 아이슬란드. 이상이 마이클 무어가 침략한 9개 국가다.

이들을 한데 뭉치면 '복지' 와 '평등' 이라는 이름으로 귀결된다. 아이들의 교육에 지원을 아끼지 않고, 아이들에게 자유를 보장하며, 노동자에게 '저녁이 있는 삶' 과 휴식을 보장해 능률을 높이고, 범죄를 처벌하기보다

는 선도하고 재범을 하지 않도록 노력하며 자신들의 부끄러운 역사를 가르치며 같은 실수를 하지 않도록 교육하고 여성의 참여와 성 평등, 그리고 국가를 망친 기업에 대한 엄격한 처벌이 이들 국가에 있다.

그렇기에 이들은 '미국엔 이런 제도가 없다' 는 마이클 무어의 말에 당황스런 표정을 짓고 순순히 그에게 제도를 가져가라고 허락한다. 심지어 슬로베니아는 대통령이 너무나 순순히 항복(?)을 하고 마이클 무어는 기자들 앞에서 '무기도 없이 침략에 성공했다' 고 말한다. 그들에겐 너무나 당연한 것을 미국은 갖지 못하고 있다. 그렇게 마이클 무어가 각 나라를 돌아다니면서 들려주는 이야기가 나오면 나올수록 미국은 '바보 나라' 로 찍히게 된다. 전 세계 관객들이 지켜보는 가운데.

그러나 그가 미국을 조롱하는 것은 역으로 미국이 다른 나라 사람들의 생각처럼 '꿈의 나라' 가 되기를 바라는 마음에서 나온 것이라고 볼 수 있다. 그는 영화에서 "내 임무는 잡초가 아니라 꽃을 따가는 것이다" 라고 말

한다. 단순히 '저 나라는 이런 제도가 있다' 에서 끝나는 것이 아니라 자신이 살고 있는 미국에서 다른 나라들이 피우고 있는 '복지' 와 '평등' 이라는 꽃이 피기를 바란다는 마이클 무어의 생각이 담긴 말이다.

이런 그의 여정은 '차기 대권은 도널드 트럼프에게 넘어갈 것이다' 라는 마이클 무어의 예측도 담겨있는 듯하다. 잘 알겠지만 트럼프는 대선에 나서면서 여성비하 발언, 유색인종에 대한 모욕, 보편적 복지 반대 등으로 구설과 우려의 대상이 됐지만 '흑인 대통령 8년' 과 '여성 대통령' 을 용납하지 않으려는 백인 보수층의 지지를 바탕으로 승승장구했고 종내는 미국의 대권을 차지하기에 이르렀다.

마이클 무어는 트럼프의 당선을 예측했고 결과는 그의 예측대로 됐다. 그리고 취임하자마자 트럼프는 '反이민' 을 내세우며 이민자들을 몰아내려했고 미국 내에서는 트럼프를 반대하는 이들의 시위가 연일 계속되고 있다. 마이클 무어의 바람은 과연 이루어질 수 있을까? 그런 상황에서 그는 이런 결론을 내린다. '인권? 평등? 민주주의? 모두 미국에서 먼저 만들어진 것들이잖아!

자, 문제는 이 영화 속 '바보 나라' 의 모습을 고스란히 답습하고 있는 또 다른 '바보 나라' 의 국민이 이 영화를 보고 느낄 공감과 자괴감이다. 아이들의 급식 문제도 '이념 논쟁' 으로 몰아가고, 비싼 등록금으로 학생들을 빚쟁이로 내몰며, 법을 엄격하게 집행한다고 하면서 정작 범죄자들이 늘어나고 노동자들은 야근은 물론 휴가도 제대로 즐길 수 없으며, 초등학생부터 시험과 선행학습으로 자기 시간을 누리지 못하고 자국의 부끄러운 역사를 감추며 독재자를 찬양하는 교과서를 국정교과서로 배포하려하는 '바보 나라' 말이다.

'헬조선' 이라고 불리는 이 '바보 나라' 에서, 어떻게든 하루하루 버티기 위해 애써야하는 관객들에게 〈다음 침공은 어디?〉는 '공감 100%' 가 될 것이 분명하다. 사실 국민들은 이들 제도가 그 '바보 나라' 에 꽃을 피우기를 누구 못지않게 바랐다. 그러나 '원조 바보 나라' 가 '신자유주의' 를 내세우며 꽃을 짓밟았듯이 '바보 나라' 에서는 자신들의 기득권을 지키려는 소수 세력에 의해 복지와 인권이 짓밟혔다. 그렇게 그 나라는 '바보 나라' 로 전락했고 그 곳에 사는 국민들은 자신이 사는 나라를 '헬조선' 이라고 명명했다.

그렇기에 〈다음 침공은 어디?〉는 공감과 함께 자괴감을 동시에 안긴다. 우리가 사는 나라는 지금 무엇을 하고 있는가? 왜 우리는 이런 영화를 보면서 그저 부러워만 해야하는 것인가? 마이클 무어의 돌직구는 바다 건너에 있는 우리에게도 묵직하게 다가온다.

아마도 지난해 상영작 중 정말 주목을 받아야함에도 빛을 보지 못한 채 사라진 영화를 꼽으라면 당연히 〈다음 침공은 어디?〉를 우선으로 꼽고 싶다. 지금의 우리 모습을 돌아보게 만드는 마이클 무어의 블랙 유머가 좀더 많은 이들에게 전달되었어야하는 점이 아쉽다. 트럼프 시대를 맞은 마이클 무어의 다음 조롱은 무엇일까? 그 기대감을 간직하며 〈다음 침공은 어디?〉에 점수를 준다.

임 동 현 _ lovewi19@hanmail.net

서울문화투데이 기자, 오마이뉴스 시민기자.

데이미언 셔젤 감독

라라랜드

감독/ 데이미언 셔젤
출연/ 라이언 고슬링, 엠마 스톤, J.K.시몬스, 존 레전드, 소노야 미즈노, 로즈마리 드윗, 제이슨 푸치스, 메건 페이
각본/ 데이미언 셔젤
촬영/ 라이너스 산드그렌
음악/ 저스틴 허위츠
음향/ 아이-링 리
편집/ 톰 크로스

뻔하지만 여운을 남기는 사랑스러운 뮤지컬 영화로
현실을 성찰하게 한다.
사랑과 낭만의 의미를 깨우쳐주는 마법이다.
눈과 귀가 즐거운 뮤지컬영화, 그리고 현실을 능가하는
판타지의 세계
환상과 낭만, 시각과 청각 여러 면으로 영화미학의 정점을 찍다.
미국식 번영과 행복을 의미하는 '할리우드'.
미국식 비애와 고독을 의미하는 '재즈'.
이 두 '역사'를 포기하지 않는
진정한(?) 보수의 애정을 노래하는 영화다.

— 추천위원의 선정이유 中

낭만과 판타지의 가치

— 데이미언 셔젤 감독 〈라라랜드〉

서영호

영화가 남긴 것은 두 주인공인 세바스찬과 미아의 꿈과 사랑에 관한 이야기보다는 해질녘 도시가 내려다보이는 공원에서의 두 사람의 춤과 노래, 그리고 밤하늘에 쏟아지는 별들 사이로 날아올라 추는 왈츠의 아름다움이다. LA와 할리우드 전체를 뮤지컬 무대 삼아 펼치는 풍성한 시청각의 향연과 상상하는 대로 현실이 되고 현실이 꿈이 되는 영화 〈라라랜드〉에서, 낭만 그리고 거기서 파생되는 판타지는 영화의 주제를 표현하기 위한 수단이 아니라 영화가 보여주고자 하는 것 그 자체다.

'무엇을' 보다는 '어떻게'

〈라라랜드〉의 스토리는 전형적이고 평이하다. 꿈을 향한 두 젊은이의 도전과 그 과정 속에 곁들여진 둘의 사랑이야기라는 틀은 고전적인 형식

을 따르고 있다. “사랑과 삶 사이, 그리고 꿈과 현실 사이에서 열정에 관한 이야기를 어떻게 풀어낼 수 있을지 고민했다”는 감독의 말을 되짚어 보면 어쩌면 포인트는 ‘어떻게’에 있었던 것으로 보인다. 영화는 ‘무엇을’ 이야기 하는가 보다는 ‘어떻게’에 힘을 쏟았다. 그리고 그 기교가 꽤나 훌륭해서 설득 당하지 않을 수 없는 지경이다. 연이어 몰아치는 매혹적인 선율과 배우들의 몸짓 등 팬시한 시청각들이 비판적 질문을 할 틈을 주질 않는다. 굳이 이것저것 따질 필요가 있을까 하고 포기하게 만든다고 해야 옳겠다. 뻔한 이야기도 이야기꾼의 입담이 너무 뛰어나면 넋을 놓고 듣고 있게 된다.

특별할 것 없는 이야기를 특별하게 만들어 주는 것은 영화 속 다채롭고 풍성한 퍼포먼스, 연출, 촬영이다. 〈라라랜드〉는 공연과 영화의 핵심 요소들을 효과적으로 버무린 잘 만든 뮤지컬 영화다. 어느새 현실에서 판타지로 매끈하게 들어가서 한바탕 홍겨운 놀이판을 벌이고는 노련하게 현실로 돌아온다. 영화가 선사하는 대부분의 정서적 쾌감은 영화를 이끌어가는 소리와 리듬, 색채들에서 비롯된다. 꿈과 사랑에 관한 감독의 이야기는 그 주제들에 관한 참신한 시선이나 깊이 있는 통찰을 통해서라기보다는 두 배우의 몸짓과 노래로 더 강한 설득력을 지닌다.

배우들의 춤과 노래는 물론이고 고전적 화성 진행의 바탕 위에 썩 잘 뽑아낸 멜로디로 채운 음악들도 적재적소에서 그 역할을 해낸다. 주요 트랙들 중에서 'City of stars'를 제외하고 'Mia & Sebastian's theme'과

'Someone in the crowd', 'A lovely night' 그리고 'Audition(the fools who dream)' 같이 귓가에 친숙하게 맴도는 선율들은 음악사의 명곡들의 유산을 이어받아 고전적인 클리셰 화성의 바탕 위에 뽑아낸 멜로디들이다. 그리고 이 영화에서 유난히 튀는 것은 동분서주하는 카메라다. 무대 위의 뮤지컬을 관람하고 있는 느낌을 유지하고 싶어 하는 듯한 감독의 고집은 치밀하게 짜여 지고 연습된 롱테이크 장면들을 만들어냈다.

재즈로 바라본 세상

그리고 이 모든 것들을 하나로 엮어낼 소재로서의 재즈가 있다.

감독의 첫 장편작 〈공원 벤치의 가이와 메들린〉은 재즈 트럼펫 주자가, 이후 〈위플래쉬〉에서는 광기 어린 재즈 드러머에 이어 〈라라랜드〉에서는 재즈 피아니스트가 이야기의 주인공이다. 물론 〈라라랜드〉에서는 미아(엠마 스톤)도 있지만. 고등학교 때까지 재즈 드러머를 꿈꿨던 감독은 자신에게 특별한 재주가 없음을 깨닫고 또 다른 관심사였던 영화로 진로를 바꾸게 되었다고. 이쯤 되면 데이미언 셔젤 감독에게 재즈는 단순한 영화의 주 소재 이상인 듯싶다. 아마도 재즈는 그에게 인생의 낭만을 대변하는 어떤 것이고 이루지 못한 재즈 뮤지션의 꿈은 그에게 판타지일 것이다.

그래서 감독은 재즈를 닮은 영화를 만들고 싶어 했던 것 같다. 전작 〈위플래쉬〉에서는 재즈에 대한 애증을 드러냈다면, 〈라라랜드〉에서는 재즈를 닮은, 재즈의 세계 구성 방식을 빌려온 영화를 만들고 싶은 것은 아니었을까. 〈위플래쉬〉의 앤드류와 〈라라랜드〉의 세바스찬은 감독 자신의 모습 혹은 과거에 꿈꿨던 미래의 자신의 모습일지도 모르겠다. 그리고 영화 속 주인공들의 재즈에 관한 태도와 대사는 감독 자신이 사람들에게 설파하고 싶은 재즈에 관한 이야기처럼 들린다. 세바스찬은 재즈에 관심이 없다는 미아에게 설명한다. "재즈는 편한 게 아니야, 재즈는 꿈이야. 순간 순간 서로 충돌하고 타협하면서 만들어가는, 매 순간이 새로운 흥미진진한 어떤 것이라고". 미리 약속된 가장 기본적이 틀을 제외하고 연주자 각자가 자신의 색깔에 따라 매순간의 선택으로 만들어가는 재즈 음악은 감독에겐 인생을 빗댈 가장 적절한 메타포다.

과장하면 〈라라랜드〉는 재즈가 된 영화다. 재즈의 핵심은 주어진 멜로디—주로 정통 스탠다드 곡들의 멜로디—를 어떻게 자신의 색깔로 변주하느냐에 있다. 그리고 그것을 다른 연주자들과의 조화와 대화 속에서 얼마나 창의력 있게 펼쳐 나가는가가 관건이다. 〈라라랜드〉에서 오마주 된 고전 뮤지컬 영화의 명장면들은 정통 스탠다드 곡들의 헤드(head—주 멜로디)를 연상시킨다. 그리고 감독은 고전의 기반위에 자신만의 어법을 통해 멋진 변주들을 만들어냈다. 세바스찬과 미아가 티격태격 서로를 알아가는 과정은 재즈에서의 트레이드(trade—각 악기가 몇 마디씩 연주를 주고받는 부분)를 닮았으며 서로가 상대의 꿈을 응원하고 지원하는 모습은 다른 주자가 솔로 연주를 할 때 받쳐주는 컴핑comping과 유사하다. 그리고 재즈 뮤지션이 가치를 평가받는 가장 중요한 척도로 꼽히는 것을 결국 각자의 솔로 연주에의 역량이라고 본다면 이것은 세바스찬과 미아 각자의 꿈의 실현에 대한 과정에 비유할 수 있다. 세바스찬은 재즈 피아니스트, 미아는 배우라는 자기 인생의 솔로주자들이다.

'만약 그랬다면'

〈라라랜드〉에서는 관객이 상상하고 욕망하는 것이 판타지적 허용에 힘

입어 곧바로 스크린에 펼쳐진다. 그리고 현실에서 판타지로의 전환은 노련한 연출로 그 경계가 모호하고도 자연스럽게 전개된다. 특히 마지막 엔딩신에서의 '만약에 그랬다면' 시퀀스에서는 현실의 모든 중력으로부터 자유로운 상상의 나래가 펼쳐진다. 어찌 보면 이런 상상은 가장 궁극의 낭만이라 할 수 있다. 그리고 이러한 판타지는 후회 없는 선택들로만 이루어진 흠 없는 완벽한 삶에 대한 보편적인 욕망을 대리한다. 이 상상신에서 비록 세바스찬이 자신의 재즈 클럽을 열게 되었는지까지는 분명히 묘사되진 않지만 꿈과 사랑 모든 것이 완벽하다. 그리고 이 판타지의 실현은 완성도 높은 기교로 슬프도록 아름다운 시간을 제공한다.

하지만 〈라라랜드〉의 낭만과 판타지는 철없는 막가파식 낭만은 아니다. 현실 인식의 끈을 완전히 놓지는 않고 있다. 물론 세바스찬과 미아처

럼 둘 다 자신의 꿈을 이루는 것도 현실에서는 좀처럼 쉽게 일어나지 않는 일이지만 그렇다고 둘의 꿈과 사랑 모두가 이루어지게 놔두진 않는다. 삶의 수많은 매순간의 선택의 조합은 저마다에게 유일한 인생을 남기고 그것은 단 한 번뿐이다. 그래서 우리는 모두 지금까지의 나의 선택 이외의 경우를 상상해보곤 한다. 그리고 거기에는 늘 후회 혹은 안도의 한숨이 뒤섞이기 마련이다. '만약 그랬다면' 의 상상신은 때문에 더욱 애절하고 낭만적이다. 현실을 의식한 낭만과 판타지가 더 아름답다. 현실을 외면하지 않는 낭만적 이상주의는 무모하게 꿈꾸는 이상주의와 다르다. 낭만적 이상주의는 자신이 속한 세상의 사람들과 현실을 끌어안는다. 그래서 의미 있다.

어떤 예술 작품들은 인생에 두고두고 되새겨 볼만한 사유를 던져주지는 못한다 해도 다른 이유로 의미 있는 작품으로 꼽힐 수도 있다. 〈라라랜드〉는 그런 영화에 속한다.

현실이 가혹할수록 낭만과 판타지는 더 달콤하다. 2010년대를 살아가는 이들에게 순수한 아이처럼 마냥 펼쳐낸 낭만과 판타지는 생각했던 것보다 많은 위로를 주었던 것이다. 낭만은 현실로부터 자유로운 삶의 태도이지만 역설적이게도 동시에 고단한 현실을 극복하는 힘이 된다. 이성과 합리는 삶의 도구이지만 낭만은 삶의 목적 그 자체이지 않았던가.

서 영 호 _ traraa@naver.com

대학교 때부터 본격 음악에 몰두하여 한동안은 재즈를 탐구하고 이후 팝음악의 영역에서 건반연주자, 싱어송라이터, 편곡자로 활동 중. 《쿨투라》 신인상 공모에 '영화음악평론'으로 당선. 현재 '원펀치'와 '오지은서영호' 두 개의 듀오 팀에서 활동 중. 《쿨투라》 편집위원.

알레한드로 곤잘레스 이냐리투 감독

레 버 넌 트

감독/ 알레한드로 곤잘레스 이냐리투
출연/ 레오나르도 디카프리오, 톰 하
도널 글리슨, 윌 폴터, 포레스트 굿
폴 앤더슨, 루카스 하스, 브렌단 플
각본/ 알레한드로 곤잘레스 이냐리투
촬영/ 엠마누엘 루베즈키
음악/ 류이치 사카모토,
카르슈텐 니콜라이
음향/ 론 벤더
편집/ 스티븐 미리온

이야기 구조와 카메라 워크가 뛰어나다.
자연도 충분히 주인공이 될 수 있는, 아부하지 않는,
에너지를 받는 영화다.
야생의 극한 경험을 보여주며 모든 면에서 기록적인 대작이다.
이러한 이분법적 사고의 어느 한 쪽을 지지할 필요가 없다는 점을
스스로 입증했다. 영화가 수행해야 할 소임 중 하나는
잃어버린 감각을 되살리는 일이며, 무너진 감각 체계에
균형을 되찾는 일이라는 사실도 은근히 상기시켰다.
그래서 영화가 지금까지 걸어왔던 길 끝에서
더 이상 감각의 발명을 주저하고 있던 이들에게,
〈레버넌트〉는 그 길만이 유일한 길이 아니라고 말할 수 있었다.

— 추천위원의 선정이유 中

감각의 발명,
'내' 안에 차고 넘치는 것들의 해부

— 알레한드로 곤잘레스 이냐리투 감독 〈레버넌트: 죽음에서 돌아온 자〉

김남석

1. 엄습하는 추위

〈레버넌트: 죽음에서 돌아온 자(The Revenant, 2015)〉를 다시 보아야 한다는 생각이 들자마자, 온 몸을 엄습한 것은 '추위' 였다. 그것도 서늘했던 첫 인상을 각인시키며 감각적인 차가움으로 몰려든 추위. 기척 없이 다가와 그것을 생각하는 이로 하여금 '살아 있다는 사실' 자체를 다시금 돌아보도록 만드는 이 감각은, 〈레버넌트〉에서 다른 어떤 감각보다 우선시 한 본연의 감각이기도 했다.

〈레버넌트〉를 다시 보아야 하는 이유는 여기에 있지 않을까. 세상의 많은 영화들이 그 영화를 보아야 하는 이유를 지니기 마련이고, 그 중에서도 '수작' 이라는 불리는 영화들이 그 이유를 자신만의 개성과 장점으로 승화시키고 있다고 할 수 있다면 말이다.

사실 우리가 수작을 결정하는 조건은 다양하다. 감탄스러울 만큼 정교한 이야기(서사)도 수작의 장점이 될 수 있을 것이고, 현실과 너무 흡사하여 분간이 되지 않는 영화적 환각illusion도 역시 이러한 개성으로 취급될 수 있을 것이며, 때로는 동화처럼 아름다운 사랑이나 현실의 권태를 이겨낼 수 있는 놀라운 상상력도 이러한 특징에 포함시킬 수 있을 것이다.

하지만 어느 순간부터인지 우리는 수작의 조건을 이성이나 논리의 영역에서 생각하고 그 특징과 장점을 찾아내는 데에 익숙해진 것 같다. 어떤 영화의 플롯을 따져야 할 때에는 정합성을 무엇보다 앞세우고, 어떤 이의 연기를 평가할 때는 현실(에서의 모습)과의 일치 여부에 비중을 두는 기준이 이러한 우리의 현재 성향을 대변한다고 하겠다.

그리고 이러한 이성 혹은 논리적 판단 작용에는 '본다는 것의 의미' 가 강력하게 개입하고 있다. '지금-여기' 의 동시대인들은 그 어느 시대의 사람들보다 '시각' 에 유독 높은 신뢰를 보내고 있다. 현대인들이 무엇인가를 확인하고 기억한다는 것은 시각의 강력한 도움을 통하는 경우가 다반사였고, 근대 이후 사회에서 '본다' 는 행위는 그 자체로 '안다' 는 것의 대명사가 되기 일쑤였다. 결국 무언가 확정적인 것을 결정해야 할 때는 강도 높게 보는(혹은 보아야 하는) 행위가 동반되어야 했다.

이러한 시대를 거치면서, 영화는 이러한 시각에 걸맞은 매체로 부상했고 또 거듭나고자 했다. 영화 관람의 상당한 비중은 보는 행위에 달려 있으며, 영화를 구성하는 또 하나의 주요 감각이어야 할 청각조차 이러한 비중에 밀려 보조적인 감각으로 머물고 마는 경우가 적지 않다(그렇다고 영화음악이나 음향이 불필요하다는 뜻은 아니니, 이 부분에 대해서는 오해가 없기를 바란다). 촉각이나 후각 혹은 미각 등은 주요 감각에서 실제적으로 사라졌으며, 과거 영화들이 이러한 감각을 살리기 위해서 다양한 시도를 했던 것에 비해, 현재에는 시각을 통해 간접적으로 드러내는 것에 만족하는 수준이다.

결국 대부분의 영화는 '보는' 것으로 간주되고 있는 형편이며—이러한 현상은 영화만의 현상은 아니고 19세기 이후 각종 예술의 보편화된 성향에 해당한다—그 결과 보는 것이 판단을 좌우하는 논리적인 확정성을 그 어떤 장르보다 중시 여기는 장르로 결집될 수 있었다.

다시 〈레버넌트〉로 돌아가자. 〈레버넌트〉에서 그 어떤 감각보다 '추위' —확장해서 말해서 촉각 혹은 냉온감각이라고 호칭할 수 있는 감각—가 먼저 찾아오는 것은 이례적일 수밖에 없다. 어떤 장면, 어떤 연기, 어떤 사실성이 이 영화의 근원적 관심이 아니라, 영화 전체가 지닌 냉기가 영화를 보는(본다고 믿는) 이들의 몸을 휩싸고, 마치 그들을 격류 속으로 밀어 넣고 있다는 느낌은 근대 이후 영화가 편승해 온 하나의 결절점을 은근히 돌아보게 만들기 때문이다. 이러한 전언을 조금 확장하면, 영화라고 해도 반드시 시각적일 필요는 없으며, 그로 인해 반드시 논리적이거나 이성적인 필요도 없다는 암시도 자연스럽게 포함하고 있다.

2. 감각의 해부

〈레버넌트〉의 내부로 들어가면, 이와 관련하여 거론할 수 있는 장면들을 적지 않게 만날 수 있다. 격류에 떠밀려 위기를 빠져가는 장면도 여기에 속하고, 광야에서 몸서리치며 죽음과 대면하는 광경도 이러한 범주에 속하는 장면이다. 하지만 곧 이러한 장면(들) 속에서, 필수적인 다른 요소(감각의 일단)들을 발견하게 된다. 사우나에서 번져 나오는 듯한 수증기를 연상시키며 몸에 달라붙던 온기, 그 눅진한 기운, 혹은 말의 내장을 타고 번져 나오는 비릿한 내음과 축축함, 무엇보다 섬뜩한 차가움을 밀어내는 뜨거움, 때로는 피가 흐르고 상처가 찢어지면서 나타나는 인간 내부의 비장한 감각들이 그것이다.

〈레버넌트〉가 새로운 영화일 수 있다면(반드시 그러한 평가에 얽매여야 할 필요는 없겠지만) 그것은 이러한 발명되는 감각들 덕택일 것이다. 차가운 대지와 물속에서 인간이 본능적으로 갈구하는 온기溫氣는 이러한 감각의 다른 발현(물)이다. 죽음에서 벗어나 외로움을 독대한 채 황야를 걸려 뜻한 바를 이루기 위해서 반드시 갖추고 있어야 하는 감각들인데, 이러한 감각들은 죽음 같은 차가움과 맞서며 '내' 안에서 안주하려는 감

각들을 깨우며 몸속 깊숙한 곳에서 흘러나오는 '복수復讐'의 감정과 뒤엉킨다.

널리 알려진 대로, 문화와 예술의 오랜 창작자들은 복수의 플롯을 대중적인 플롯으로 이용해왔다. 인류의 위대한 문화유산인 〈오레스테스 3부작〉은 얽히고설킨 복수의 엎치락뒤치락 하는 결과를 다루고 있고, 가장 대중적인 희곡으로 분류되는 〈햄릿〉은 대중화된 복수심의 극한적 산물이었다. 그러니까 인류의 문화와 고전의 반열에서 '복수의 플롯'은 이미 보편화되었다고 해야 한다. 이러한 문화사적 배경으로 본다면, 〈레버넌트〉의 복수는 특이하다고는 할 수 없다. 아들을 죽이고 자신마저 제거하려고 했던 이들에 대한 복수는 당연한 것이지만, 흥미롭다는 것 이상의 평가를 끌어내기에는 부족하다.

그렇다면 이 영화에서 복수는 영화적 지향점이 될 수 없다. 분명 〈레버

넌트〉의 복수는 집요하고 또 통쾌하지만, 복수만으로 이 영화가 자신의 소임을 책임진 것은 아니라는 뜻이다. 복수의 플롯은 세상을 건너 삶의 공간으로 돌아오는 이들이 걷는 이정표에 불과하며, 〈레버넌트〉는 간단한 복수의 플롯을 통해 영화가 도전할 수 있는 영역에 새롭게 진입하기를 바랐다고 할 수 있다.

그렇다면 이 영화에서 복수는 왜 필요했을까를 되묻지 않을 수 없다(이미 많은 평자들이 던지고 있는 질문이기도 하다). 복수는 이 영화를 관통하고 흘러가야 하는 감각들의 터널을 형성한다. 복수의 감정을 타고 추위와 온기가 스며들고 그에 대항하는 온기와 눅진함이 살아날 수 있었다. 멀고 가까운 소리가 결합되고, 명징하던 것이 줄어드는 대신 보이지 않던 것들이 깨어나는 경험을 실현시킬 수도 있었다. '내' 안의 심장 박동을 들을 수 있게 되었고, '내' 밖을 떠도는 생명의 기운이 얼마나 절실한가를 깨달을 수 있었다. 오감이 열리고 감각이 해부되는 인상은 기존의 영화가 보여주는 일방적이고 편향적이었던 감각의 경직(성)을 풀어준다고 할까, 새로운 감각을 소개한다고 할까.

한 학자는 매체의 미래가 시각적이기보다는 촉각적여야 한다고 말한 바 있다. 사실 그렇게 말한 뜻은 명확하지 않고, 이 말의 의도 역시 혼선을 빚는 경우가 적지 않지만, 적어도 이 말은 〈레버넌트〉에 요긴한 말이 아닐까 싶다. 왜냐하면 미래의 영화(매체)가 무엇을 벌충해야 하는지 이 영화만큼 효과적으로 보여주는 경우가 흔하지 않기 때문이다.

근대 과학에 기반하여 탄생한 영화는 인간 이성의 산물로 대접받으면서 과학적이고 사실적인 것에 대한 경도를 자연스럽게 강조해 왔고, 그 결과 본다는 것이 아는 것이라는 의미를 더욱 깊게 체현하도록 종용한 이 시대의 중요한 물상이자 증거에 해당한다. 비단 과학의 원리뿐만 아니라 예술과 창작의 기조에서도 이러한 경향은 매체와 장르 깊숙이 스며들었고, 그로 인해 감각(오감)의 균형을 깨고 시각이 절대적으로 득세하는 세상을 창조하는 데에 적극적으로 일조했다.

사실주의적 경향은 이러한 시각의 기조에 편승한 대표적인 양식(style)이라고 할 것이다. 셰익스피어 시대(16~17세기)까지만 해도 연극은 사실 자체의 재현에는 그다지 관심이 없었고—논리적으로 세상을 설명하려는 성향이 약했고—무엇보다 시각 일변도로 세상을 보지 않았다는 사실은 영화 이전(영화의 선조 격으로서)의 연극이 지니는 감각의 균형을 상징적으로 보여준다.

하지만 사실주의 시대(19세기 이후)가 시작되고 그 이후 가열차게 이러한 양식이 세상에 퍼져가면서, 연극과 문학을 비롯한 각 분야의 예술 장르들은 사실주의 경향에 대한 의존과 탈피 사이에서 극단적 선택을 감행하게 되었다. 우선적으로 사실주의 성향이 시각 위주의 장르적 변형을 가져왔고, 그 이후 이에 대항하는 안티anti 사실주의는 이러한 기존 성향에 대항하며 사실/환상, 과학/직관, 이성/감정이라는 이분법적 사고를 고정화하고 표면화하는 역할을 취하고 말았다.

알레한드로 곤잘레스 이냐리투(이하 알레한드로)는 〈레버넌트〉에서 이러한 이분법적 사고의 어느 한 쪽을 지지할 필요가 없다는 점을 스스로 입증했다. 영화가 수행해야 할 소임 중 하나는 잃어버린 감각을 되살리는 일이며, 무너진 감각 체계에 균형을 되찾는 일이라는 사실도 은근히 상기시켰다. 그래서 영화가 지금까지 걸어왔던 길 끝에서 더 이상 감각의 발명을 주저하고 있던 이들에게, 〈레버넌트〉는 그 길만이 유일한 길이 아니라고 말할 수 있었다.

3. 차고 넘치는 감각이 들락거리는 길

〈레버넌트〉에 대한 호오好惡—더 정확하게 말하면 호오의 이유—는 크게 두 가지로 갈리는 것 같다. 하나의 반응은 웅장한 스케일과 대자연의 감동이 이 영화의 대체할 수 없는 미덕이라는 견해로 모아진다. 실제로 알레한드로는 촬영 시간까지 제한해가면서 설원과 빙산 그리고 오지와 극한 환경의 아름다움을 정교하게 담아내고자 했다. 웅장함에 정교함까지 결합되자, 배경으로서의 자연은 남다른 미학적 매력을 지니게 되었다.

다른 한 반응은 이러한 자연의 위상을 대수롭지 않게 여기면서 오히려 이 영화가 영화로서 갖추어야 할 미덕인 서사와 새로움의 요소를 놓치고 있다는 비판적 견해로 모아질 수 있겠다. 이러한 견해는 일정 부분 사실일

수 있으며, 그러한 측면에서 〈레버넌트〉가 보여주는 서사는—줄거리의 차원에서만 본다면—그다지 새롭지 않다고도 할 수 있다.

하지만 영화가 시각이 전부가 아닌 것처럼, 영화에서 서사만이 유일한 새로움은 아니다. 〈레버넌트〉는 새로운 서사에 그다지 집착하지 않음으로써, 새로움의 다른 길을 열고자 한 영화였다. 그러니 〈레버넌트〉의 존재 가능성을, 간략하고 일반적인 서사를 통해 작가가 격상시키려고 했던 영화의 다른 요인인 감각의 발현에서 찾을 수도 있을 것이다.

평범한 예로부터 시작해보자. 휴 글래스(레오나르도 디카프리오 분)가 위기에 맞은 직접적인 이유는 곰의 습격 때문이었다. 글래스는 자신도 예상하지 못한 이유로 곰의 습격을 받게 되고, 처음에는 무기력하게 쓰러진다. 육중한 발과 이빨이 그려내는 죽음의 곡선은 완만하지만 묵직하게 화면 안을 채웠고, 관객은 화면 가까운 곳으로 쓰러진 글래스의 숨소리마저 느낄 수 있는 상황에 처했다. 단순하게 쓰러졌다는 표현으로 모자랄 정도로 그-글래스가 입은 상처는 치명적이었는데, 여기서 주목되는 바는 이러한 곰의 습격을 표현하는 방식이라고 하겠다.

뼈가 으스러지고 살이 떨어지는 아픔을 감독은 카메라에 고스란히 담기를 원했다. 카메라는 원 쇼트로 고정되고 배우들은 그 안에서 사투를 벌어야 했다. 롱테이크로 진행된 인간과 곰의 대결은 단순한 스토리 전개에서의 전환점을 형성하려는 의도라기보다는, 현실에서는 좀처럼 경험할 수 없는 고통을 그 안에서 체험할 수 있는 장field으로 존재했다고 보아야 한다. 곰이 뿜어내는 입김이나 흘러내는 피는 이 장면이 단순히 서사 상

의 계기를 선보이기 위해서 축조된 장면이 아니라는 확신마저 던져줄 정도였다.

나무 오두막으로 훈기를 만들어내는 장면도 비슷하다. 추위와 허기에 쓰러지고 생존의 가능성이 소진되던 글래스는 잘라낸 나무들의 오두막에서 간신히 살아나올 수 있었다. 앞에서 언급했지만, 복수를 꿈꾸는 주인공이 위기에서 탈출하는 서사는 고전적이다. 어떠한 방식으로든 복수를 중단하지 않기 위해서 주인공은 허무하게 죽을 수 없기 때문이다. 그러한 측면에서 글래스의 생존은 예정되어 있는 것이며, 그래서 일각의 주장처럼 상식적이거나 상투적이라고도 할 수 있을지도 모른다.

그러나 논점을 훈기로 가득한 나무 오두막의 내부로 옮겨올 수 있다. 온몸에 달라붙는 추위와 그 추위를 막아주는 훈기가 어울리는 이 기묘한 느낌은 그 이전에 좀처럼 경험할 수 없는 감각을 발명하고 있다. 몸은 눅진눅진한 연기로 달라붙고, 피부를 감싸는 차가운 공기는 소름을 돋게 만들려는 듯. 그러니까 알레한드로 감독은 세상에 없는 사건을 만들기보다는 영화에서 실현될 수 없는 감각을 앞장세운 셈이다.

이러한 관점에서 보면 이 영화에서 빛은 더욱 차별화된 요소라는 사실에 속한다. 이 작품에서는 인공조명이 최대한 자제된 듯, 태양빛의 느슨한 입사 각도와 굴절에 따른 미묘한 잔광까지 포함되기에 이르렀다. 멀리 있는 빛은 가까운 어둠을 더욱 짙게 드리웠고, 그로 인해 빛과 어둠은 세상의 끝을 연상하는 데 도움을 주었다. 비록 이 영화의 빛 자체가 전에 없던 감각(시각이나 촉각이 아닌)을 창출한 것은 아니었지만, 기존 감각을 새롭게 돌아보게 만드는 힘을 간직할 수 있었다는 점에서는 여전히 놀랍다고 해야 한다.

알레한드로 감독의 의도는 새로운 서사나 놀라운 흥미에 있다기보다는, 영화를 이루는 기본적인 조건들을 달아보게 만드는 것에 있었다. 되짚어 보면 이 영화는 다양한 감각들을 불러내는 데에 역점을 두고 있었다. 반드시 재관람이 아니라도 관극 내내 설원의 추위가 느껴졌고, 날카로운 것에 찢기는 고통도 화인처럼 떠돌았다. 부러진 다리를 뻣뻣하게 끌고 어디론가 가야하는 막막함도 생생했고, 광막한 광야를 혼자 떠돌아야 하는 두려움도 쉽게 극복되기 어려운 종류의 인상이었다. 영화가 허구이고 실제로 일어나지 않은 일일 수도 있다는 인상은 이 영화 앞에서는 별다른 위안이 되지 못할 정도였다.

일반적으로 말하는 것을 허락한다면, 영화를 비롯한 예술은 인간의 감각에 기초하여 탄생해야 한다. 그래서 어떠한 예술 장르는 보는 것이어야 하고, 어떠한 예술 장르는 듣는 것일 수 있다. 한 장르 안에 보는 것과 듣는 것이 공존하기도 하고, 때로는 그 외의 감각을 발현시킬 수도 있다. 가령 음식을 예술의 경지로 끌어올린다면, 촉각이나 미각을 중요한 감각으로 활용할 수 있을 것이다. 그러한 측면에서 예술은 인간의 감각을 박물관처럼 모아 두는 역할을 해왔음을 알 수 있으며, 또 그러해야 한다는 당위도 확인할 수 있다.

〈레버넌트〉가 우리에게 남다른 의미를 갖는다면, 이러한 발현장으로서의 영화를 상기시켰기 때문일 것이다. 따지고 보면, 감각의 박물관 역할을 했던 영화들이 없었던 것은 아니다. 하지만 그 성패는 대부분 일관되지 않았다. 영화 자체가 지니는 시각의 압도적인 우위 속에서 다른 감각들은 그 생존 여부를 걱정해야 하는 경우가 더욱 많았다고 해야 한다. 〈레버넌트〉는 감각의 다른 생존 양식을 보여준 사례이다. 영화라는 시각적 한계를 인정하면서도 내 안의 차고 넘치는 감각들을 해부하고 감촉하도록 느끼는 힘에 접근했기 때문이다. 시각의 범람 속에서 우리-인간이 본연적으로 갈구하는 감각의 균형을 맞출 수 있는 그러한 힘 말이다.

김 남 석 _ darkjedi@dreamwiz.com

1973년 서울 출생, 고려대학교와 동대학원 졸업. 1999년 《중앙일보》 신춘문예 문학평론, 2007년 《동아일보》 신춘문예 영화평론 당선. 저서로 『조선의여배우들』 『조선의 연극인들』 『조선의 대중극단들』 등이 있음. 현재 부경대학교 국어국문학과 교수.

클린트 이스트우드 감독

4월 16일을 기억하며…
영웅보다 현자를 선택한 감독의 지혜를 볼 수 있다.
고전적인 기품을 잃지 않으면서도 새로움을 보여주는
영웅담을 풀어간다.
그러나, 〈설리〉에서 가장 주목할 만한 덕목은
영화를 관통하는 어떤 반성성 내지 자기반영성이다.
실제 설리도 그랬고 극중 설리도 그랬지만,
세상의 시선과는 달리 설리는 결코 자신을 영웅시하지 않는다.
… 외려 시종 회의하면서, 그 반대의 가능성을 열어놓는다.

— 추천위원의 선정이유 中

설리 허드슨강의 기적

감독/ 클린트 이스트우드
출연/ 톰 행크스, 로라 리니,
아론 에크하트, 안나 건, 샘 헌팅톤,
제리 페라라, 어텀 리저, 홀트 맥칼리
원작/ 체슬리 슐렌버거, 제프리 자슬
각본/ 토드 코마르니키
촬영/ 톰 스턴
편집/ 블루 머레이

영웅주의 너머, 신화적 공동체 향한 염원 그려

— 클린트 이스트우드 감독 〈설리: 허드슨강의 기적〉

전찬일

"2009년 1월15일 1,200여 명의 구조대원과 7척의 출근보트가 1549편 승객과 승무원 155명을 전원 구조했다. 모두 하나로 뭉쳐 기적을 이루는데 걸린 시간은 단 24분이었다."

US에어웨이즈 비상착수 실화를 극화한 클린트 이스트우드 감독의 〈설리: 허드슨강의 기적〉(SULLY, 2016)의 엔딩 크레딧이 뜨기 직전 나오는 자막 설명이다. 영화를 보면서도 그랬지만, 다 보고 난 뒤의 요약인데도 먹먹해지는 건 어쩔 수 없었다. 자존심이 상해서라도 정말 비교하긴 싫으나, 자동적으로 한국 현대사의 기록적 대참사라 할 '세월호 사건'이 떠올랐기 때문이다. 양쪽에 배가 즐비해있는 강 한가운데 비행기가 떨어진 것과 바다 한가운데에서 배가 침몰한 것 사이의 명백한 다름을 강변하거나, '감성팔이'라며 세월호와 이 영화가 무슨 상관이냐고 반문하는 이들도 있지

만, 그 냉냉함 내지 무감함이 놀라울 따름이니 넘어가자.

우리도 그럴 수 있었을 텐데, 라고 말할 순 없다. 저들의 새 지도자의 꼬락서니가 하도 기가 막혀 적잖은 위로(?)가 되긴 해도, 저들 나라와 우리들 나라 사이에는 너무나도 크고 많은 '차이들' 이 존재하기에 하는 말이다. 무엇보다 우리에겐 저들의 시스템이, 아니 매뉴얼조차 부재한다. 설사 있다 해도 기능적으로 작동하지 않는다. 〈해운대〉(윤제균 감독, 2009)부터 〈터널〉(김성훈, 2016), 〈판도라〉(박정우, 2016) 등에 이르는 일련의 한국형 재난 영화들이 그런 부끄러운 현실을 극적이면서도 사실적으로 웅변해준다. 이 나라에는 더욱이 버락 오바마 같은 리더는커녕, 영웅이라 불리기를 거부하는 영웅적 인물 '설리 같은 이' 도 없다?

그렇게 답하진 않으련다. 당장 위 세 영화들에서도, 설리처럼 '폼' 나진 않을지언정, 잠재적 '설리들' 은 얼마든지 발견할 수 있다. 난생 처음 보는 남, 정확히는 사귄지는 얼마 되진 않아도 사랑하는 여인을 살리기 위해 쓰나미가 휩쓸 바다로 투신(함으로써 살신성인)하는, 〈해운대〉의 소방대원 형식(이민기)이, 실익을 내세우며 일찌감치 포기하는 그 위선적 대한민국 위정자들과 달리 최후의 순간까지 최선을 다해 마침내 주인공 정수(하정우)의 목숨을 건져내는데 성공하는 〈터널〉의 재난본부 팀장 대경(오달수)이, 나라가 이뻐서가 아니라 가족 및 애인을 향한 무한한 사랑에서 목숨을 내 놓는 주인공 재현(김남길)이 그들이다. '오늘의 영화' 중 최고의 한국영화로 선정된 〈동주〉(이준익)의 윤동주나 송몽규 등도 이 땅의 설리들 아니었을까. 그들은 한결같이 '짐승만도 못한', 세월호 선장 이준석과는 판이하게 다른 서민적 영웅들이라 일컫을 만하다. 그리고 이 '헬조선' 속에도 마침내 '박근혜 탄핵'을 이끌어낸, 자랑스러운 촛불시민들이 존재하지 않는가!

이쯤에서 물어보자. 미국 영화계, 아니 미국 사회 전체를 통틀어서도 아이콘적 보수주의자라 칭할 수 있을 감독을 포함해 영화를 만드는데 함께 한 모든 이들은 이 영화를 통해 무엇을 말하고 싶었던 걸까. 미국이 (소)영웅들의 나라를 지향해온 만큼 할리우드가 설리 같은 영웅 드라마를 이제야 영화화한 것은 외려 늦은 감마저 있다. 감독 클린트 이스트우드부터가 또 다른 설리 아닌가. 1950년대 중반 단역에서 출발해 수십 년의 세월이 흐르면서 "스타 배우라는 말의 정의 그 자체가 되어" 버렸고, "어떤 배우보다 마초적인 거들먹거림과 얼음처럼 차가운 강인함을 잘 표현할 수 있지만, 스크린 상에 나타나는 그의 페르소나(와 감독으로서의 재능까지)에는 그보다 훨씬 많은 것이 담겨 있다" [『501 영화배우』, 스티븐 제이 슈나이더(지은이), 정지인(옮긴이), 마로니에북스, 2008-08-29, 네이버에서 재인용]

는, 80대 후반에도 맹활약 중인, 명실상부 현존 세계 영화계의 최대 거목 중 한 사람!

설리 역의 톰 행크스 또한 마찬가지다. 코미디 〈스플래쉬(1984)〉로 순식간에 스타덤에 오른 이후, "실패작 몇 편이 이어진 80년대 말에는 (중략) 하염없이 추락하는 것처럼 보였"으나 에이즈로 죽어가면서도 변호사의 '본분'을 잊지 않는 동성애자를 연기해 1994년 아카데미 남우주연상을 거머쥔 〈필라델피아〉에서 재비상하며 "영화사에서 자신의 위치와 운을 모두 바꾸어 놓"는데 성공한데 이어, 바로 다음 해에 "또 한 번 아카데미상을 안겨 준 〈포레스트 검프(1994)〉와 〈아폴로 13(1995)〉, 〈그린 마일(1999)〉", 그리고 비록 2017년 제 89회 아카데미상에서 철저히 외면되긴 했으나 생애의 연기로 기록되기 부족함 없을 〈설리〉에 이르는 화제작들을 통해 "사실상의 일인자이자 할리우드 박스오피스의 황금열쇠로" 절대적 존재감을 발산해온, 미국적인 너무나도 미국적인 소시민에 가장 잘 어울리는 또 한 명의 스타 배우(『501 영화배우』).

사실 톰 행크스 아닌 설리를 상상하기란 쉽지 않다. 톰은 설리의 현현이라 해도 과언이 아니다. 흥미롭게도 그는 엔딩 크레딧에 등장하는 진짜 설리, 그 자체다. 어쩌면 그렇게 닮은꼴일 수 있는지, 신기할 따름이다. 다름 아닌 이런 게 캐스팅의 묘미가 아닐까, 싶다. 《씨네21》의 한 기자는 "기장 셀렌버거를 비롯해 그간 미국의 영웅들을 부지런히 연기해온 톰 행크스가 〈캐스트 어웨이〉(2000) 이후 한 번도 오스카 후보에 오르지 못한 것도 의아한 일"이라고 진단했으나, 내게는 아니다. 톰이 올 아카데미 남우주연상 후보에도 끼지 못한 까닭은, 수상자인 케이시 애플렉(〈맨체스터 바이 더 시〉)을 비롯해 〈펜스〉의 댄젤 워싱턴, 〈라라랜드〉의 라이언 고슬링 등 다른 경쟁자들에게 밀려서라기보다는, 다른 차원의 연기를 구현했다고 여겨져서다. 아니나 다를까, 톰은 설리를 연기한다기보다 '산다'. 그러니 케이시 등과는 달리, 톰의 연기가 눈에 잘 띄지 않을 수밖에 없을 터. 톰은 눈에 잘 띄지 않으면서도 단연 주목할 만한 연기를 선사한 것이다. 일찍이 故장국영이 그랬던 것처럼 말이다. 정말 좋은 편집이 '눈에 띄지 않는'(invisible) 편집이요, 정말 좋은 음악은 '귀에 잘 들리지 않는'(unheard) 음악인 것처럼.

눈길을 확 잡아끌지 않으면서도 주목해야 할 연출은 감독에게도 해당된다. 노거장은 그 동안도 확연히 도드라지는 연출 스타일을 선보였던 적이 거의 없다. 그는 스타일로 승부를 거는 건 고사하고, 스타일을 전면에 내세우는 법이 없었다. 오스카 작품상에 감독상까지 거머쥐며, 스타 배우를 넘어 거장으로서의 존재감을 선명히 각인시켰던 걸작 〈용서받지 못한

자〉(1993)의 스타일도 '비가시적'(invisible)이었다. 연출 수준에서 기폭이 있긴 하나, 거장은 철두철미 내러티브 및 캐릭터에 스타일을 '종속' 시켜왔다. 어느 모로는 심심하고, 밋밋하기조차 하다. 〈미스틱 리버〉(2003), 〈밀리언 달러 베이비〉(2004), 〈그랜 토리노〉(2008) 등의 걸작들도 그랬다. 지나치게 평범하게 비치기도 한다.

만약 클린트 이스트우드의 영화들을 그렇게 봐 왔다면, 그건 겉만 봤지 속은 보지 못해서일 공산이 크다. 그는 단적으로 평범함 속에 비범함을 담아내는, 예술의 최고 경지를 일궈온 거장 중 거장인 것이다. 영화 〈설리〉도 예외는 아니다. 영화는 철저하게 주인공 설리와, 설리로 분한 톰 행크스를 쫓는다. 스타일을 위한 스타일로 새는 지점이 단 한 군데도 없다. 설리가 꾸는 악몽에서 출발해 진짜 체슬리 설렌버거—설리는 애칭이다—를 포함해 사고기에 탑승했던 실제 인물들의 풋티지를 보여주는 장면으로 마무리되는 마지막 순간까지, 1시간 반여 간 지속되는 극중 완급 안의 긴장감은 압도적이다. 이미 알려진 이야기의 알려지지 않은 드라마를 극화해서이기도 하겠지만, 드라마를 구축하는 비가시적 플롯이 워낙 출중해서다. 비가청적 음악 연출 또한 대가의 솜씨 그것이다.

〈설리〉에서 가장 주목할 만한 덕목은 그러나, 영화를 관통하는 어떤 반성성 내지 자기반영성Selfreflexivity이다. 실제 설리도 그랬고 극중 설리도 그랬지만, 세상의 시선과는 달리 설리는 결코 자신을 영웅시하지 않는다. 이런 유의 여느 영화들과는 달리, 영화 〈설리〉도, 작가도, 감독도 그 누구도 설리를 미화하거나 영웅화하지 않는다. 외려 시종 회의하면서, 그 반대의 가능성을 열어놓는다. 혹 설리의 판단이 잘못 된 것이었다면 어떻게 됐을까? 그런 질문, 그런 회의를 통해 영화는 외적 사실보다 더 중요한 것은

내적인 진실임을 역설한다. 영화의 울림이 더 크고 깊은 이유 중 하나다.

그렇다면 이 영화는 혹시, 미국의 위대함을 시사하려는 건 아닐까. 영화가 못내 감동적 · 교훈적이면서도 열광적 찬사가 다소 주저되는 건 그래서다. 하지만 〈설리〉의 기적이 쉽사리 재연되기란 불가능할 터기에, 그런 결론은 성급한 일반화일 수밖에 없다. 마침 지난 3월 4일 자 한 기사(http://www.etnews.com/20170303000251)가 우리가 무심코 넘어가기 십상일 그 기적의 기적성을 적확하게 전한다.

"국토교통부가 국회에 제출한 항공기 버드스트라이크 발생 현황에 따르면 국내 항공기만 최근 5년간 버드 스트라이크 사고를 1000건이 넘게 겪었다. 2011년 92건에서 2015년 287건(2016년 7월까지 127건)으로 꾸준히 늘어나는 추세다. 시속 370km로 날고 있는 비행기가 0.9kg 무게의 새와 충돌하면 비행기가 받는 충격은 4800kg 수준이라고 한다. 비행기체 외벽에 충돌하지 않고 엔진 터빈 등에 휩쓸려 들어가면 고장으로 이어지기 십상이다. (중략) 불시착하는 비행기만큼 위험한 것도 없다."

〈설리〉의 기적은, 미국의 시스템 덕분이라기보다는 기장 설리의 과감한 판단, 세 승무원들의 신속한 대처, 승객 150명의 일사불란한 대처 등으로 인해 가능했던 것이다. 평론가 장병원의 진단처럼, "극적인 인간승리 드라마를 격렬하고 황량한, 트라우마와 악몽에 관한 정치적 서사로 변모시킨" 거장이 "〈설리〉에서 추구하는 것은 영웅주의의 본질"이고, "현대 미국을 문맥 위에 재편성한 이스트우드의 스크린 전설"이며, "황폐화된 문명세계에 경종을 울리는 영웅담이자 미국이라는 신화적 공동체의 복원을 염원하는 이야기"인 셈이다.

전 찬 일 __ chanilj@hanafos.com

영화평론가. 조선대학교 대학원 초빙교수, 《아시아엔》 문화비평전문위원, 《공연과리뷰》 편집위원, '작가가 선정한 오늘의 영화' 기획위원. 저서로 『영화의 매혹, 잔혹한 비평』 등이 있음.

오베라는 남자

감독/ 하네스 홀름
출연/ 롤프 라스가드, 바하르 파르스, 필립 버그, 이다 엥볼, 차타리나 라르손, 프레드릭 에버스, 포얀 카리미
원작/ 프레드릭 배크만
각본/ 하네스 홀름
촬영/ 골란 할베르그
음악/ 고트 스토라스
편집/ 프레드릭 모르헤덴

하네스 홀름 감독

돌이킬 수 없는 사고를 당한 사람들이 다시 삶을 시작하는 이야기이기도 하다. 이전의 삶과 새로운 삶 사이에는 인력으로 변화시킬 수 없는 단절이 존재한다.
다시는 예전의 삶을 회복할 수 없는 것이다.…
한 마디로 이 작품은 오베가 소냐의 죽음을 애도하는 과정을 그리고 있다.
그녀를 잘 보내며 그녀에 대한 아름다운 기억들을 품는 것이다.
그런데 이 순간 기적이 일어난다.
오베가 자신이 삶 속에서 소냐의 역할을 맡아, 절망한 이의 눈앞에 나타난 빨간 구두가 되어 주는 것이다.
이것이 바로 결코 되돌릴 수 없는 과거가 우리의 현재에 반복되는 관계의 마술이다.
고립된 이들을 위해 위로를 건넨다.

— 추천위원의 선정이유 中

〈오베라는 남자〉가 선물하는 관계의 마술: 당신은 무엇에 관심이 있어요?

— 하네스 홀름 감독 〈오베라는 남자〉

김서영

〈오베라는 남자〉(A Man Called Ove, 2015)의 포스터는 등장인물들로 가득하다. 심지어 오베의 어깨에 올라 탄 고양이가 "역사상 가장 까칠한 매력남"이라고 쓰인 말풍선으로 말을 하고 있다. 스웨덴 작가의 동명 소설을 스웨덴 감독이 영화화한 작품이라는 설명을 보고 왠지 당연히 그럴 수밖에 없다는 생각이 들었다. 스웨덴은, 말하는 영화, 이야기 가득한 영화의 아버지인 잉마르 베리만의 나라가 아닌가! 나는 어느 때인가부터 히치콕의 '보는 영화' 보다는 베리만의 '말하는 영화'를 기다리기 시작했다. 내게 사람과 사연과 빛나는 관계의 마술을 보여줄 영화, 마음에 간직하고 품을 수 있는 인물들을 선물할 영화들을 기다렸다. 〈오베라는 남자〉는 그런 빛나는 관계들의 선물세트 같은 영화였다.

모든 관계가 차단된 채 홀로 고립된 오베가 자살을 결심하는 순간, 프레

임 중앙에 있는 큰 창문 오른쪽에 여자가 나타난다. 사람이 비어있던 창틀 프레임 속에 들어오는 것이다. 그 개입은 오베의 자살을 방해한다. 관계란 한 사람의 외연을 찢는 개입이자 방해라고도 할 수 있다. 뭔가를 같이 하고, 또 공간을 함께 쓰는 것이 얼마나 구차하고 번거로운 일인가? 그런데 그 구차함과 번거로움이 한 인간의 파멸을 막는다. 고양이조차 오베의 고독을 방해한다. 그의 공간에 침입하고 아침 산책에도 동행한다. 도대체 오베를 가만히 두지 않는 것이다. 죽겠다고 아우성치던 그가, 이 개입들에 의해 결국 "사는 게 이런 거구나"라고 말하게 된다. 그는 이 순간 그 모든 개입과 방해라는 불편함들을 '행복'으로 정의하고 있다. 사는 게 그런 것 아니었나?

영화가 관객에게 선사하는 가장 큰 선물은 오베의 아내, 소냐다. 집이 불

탄 후, 갈 곳 없이 고아로 남겨진 오베가 기차에서 잠에 빠진다. 옆으로 누워 있던 그가 눈을 떴을 때 빨간 구두가 보인다. 그 구두를 통해 우리는 소냐를 처음 만난다. 그러나 관객은 그녀의 얼굴을 볼 필요가 없다. 이미 우리는 이 장면에서 그녀가 그를 구원할 것임을 직감적으로 깨닫게 된다. 살인자 라스콜리니코프를 구원한 소냐의 숭고한 사랑, 거기에는 소냐의 얼굴이 없다. 이 영화 역시 마찬가지다. 소냐는 인간이 가진 가장 아름다운 것과 가장 강한 것들의 총합이다. 모든 사람이 꿈꾸는 그녀가 소냐라는 이름으로 스크린에 나타난다. 오베라는 남자가 어떤 사람이건 그건 상관없다. 그녀는 그를 사랑한다. 무엇 때문에 사랑하고, 무엇 때문에 칭찬하고, 무엇 때문에 감사한 관계는 한 사람을 치유하지 못한다. 이유 없이 사랑하고, 이유 없이 감싸주고, 이유 없이 인정하는 만남을 경험한 사람은 그렇지 않은 사람과 전혀 다른 인생을 살게 된다. 당신은 그런 방식으로 당신 주위의 사람들을 대한 적이 있는가? 이유 없이 감싸주고, 이유가 없는데도

인정해 준 적이 있는가? 영화는 그런 인물이 어떤 기적을 만들 수 있는지 보여주고 있다. 변화란 이들에 의해 촉발되는 사건이다.

소설에는 소냐가 오베를 선택하는 이유가 언급된다. 그러나 영화는 그 이유를 제거하고 무조건적인 사랑을 그려낸다. 소냐가 첫 데이트에서 오베에게 질문한다: "당신은 무엇에 관심이 있어요?" 오베는 "집"이라고 답했고, 소냐는 곧 그에게 주택기술자 과정을 권하여 2년 후 그는 엔지니어가 된다. 당신은 당신이 사랑하는 사람에게 원하는 것이 무엇인지 질문한 적이 있는가? 그리고 그의 답을 미래의 가능성으로 되돌려 준 적이 있는가? 원하는 것을 묻고, 답하고, 돕는 일은 의외로 간단할 수 있다. 강요, 눈치, 갈등이라는 단어들은 이 과정과 어울리지 않는다. 우리는 특별반 에피소드에서도 유사한 과정을 엿볼 수 있다. 공부에 관심이 없는 아이들을 지도하며 소냐는 그들 하나하나의 멘토가 된다. 그들이 마음으로 품을 수 있는 소설 속 인물들을 선물하고, 아이들은 그 인물들에 의해 변해간다. 우

리는 누군가에게 그런 스승인 적이 있었나? 그의 마음과 교감하고 그를 있는 그대로 품어 그가 가진 가장 좋은 것들이 세상에 드러날 수 있게 도왔는가 아니면 점수로 평가하고, 내 기준을 제시하며 비교와 질책 속에서 그를 다그쳤는가? 아이에게 무엇에 관심이 있는지 물어보았는가 아니면 무엇에 관심이 있어야 한다고 답해주었는가? 우리에게 소냐와 같은 스승이 있었다면, 그리고 그녀와 같은 연인이 있었다면 우리 삶은 어떻게 달라졌을까?

영화는 우리 자신이 소냐가 될 수 있다고 말한다. 영화에서 가장 먼저 소냐의 역할을 물려받는 인물은 오베의 새 이웃인 파르바네다. 그녀는 오베가 어떤 사람인지 묻지 않는다. 그에게 말을 걸고, 그에게 도움을 청하며, 음식을 선물한다. 이 과정에서 그녀는 오베가 가진 가장 좋은 면들이 드러나도록 만들고, 오베 자신이 소냐의 분신이 되도록 돕는다. 소냐의 삶이 그의 삶 속에서 다시 피어날 때, 그는 사람들의 문제를 해결하고, 이웃을 배려하며, 사랑하고 사랑받는 일을 할 수 있게 된다. 그때, 오베는 파르바네의 아이를 위해, 한 번도 사용하지 못한 채 먼지 낀 다락방 구석에 두었던 아기침대를 꺼낸다.

운전 교습 신은 파르바네와 오베가 그 역할을 서로 주고받는 마술적 장면이다. 그때까지 오베는 문을 잠그는 역할을, 그리고 파르바네는 문을 열어젖히는 역할을 맡아 왔다면, 이 장면에서 그들의 역할이 뒤바뀐다. 시내 운전 중, 당황하며 운전석에서 두려움에 얼어버린 그녀에게 오베가 말한다: "내 말 잘 들어요, 당신은 두 번이나 출산을 했어요. 먼 이란에서 왔고요… 낯선 나라에서 갖은 고생 다 했죠. 당신이 운전을 못할 이유가 없어요." 오베는 지금 '이유'를 말하고 있는 것이 아니다. 그는 당신이라면 무엇이든 할 수 있다고 말하는 것이다. 그녀가 두 번 출산을 했기 때문이 아니며, 이란에서 왔기 때문도 아니다. 이것은 그녀의 존재 자체에 대한 긍정을 뜻한다. 많은 말을 하면서도, 수많은 요구들을 하면서도, 정작 그 사람의 존재 자체에 대해서는 어떤 생각도 하지 못하는 경우들이 허다하다. 존재 자체의 긍정이란 그의 내적 두려움과 연약함, 그의 과거와 현재, 그의 가능성들 그 모든 것을 긍정하는 끄덕임을 뜻한다. 그것은 두 팔 벌려 그를 포용하겠다는 의지를 의미한다. 그리고 이 순간 오베는 다시 삶의 중심에 선다. 고장 난 자전거를 고치고, 아이들을 돌보며 더 이상 작동하지 않던 오븐을 수리한다.

영화는 오베의 내면에 존재하는 두 가지 상반된 힘들의 싸움을 그려낸다. 그것은 절멸의 방향성과 삶을 위한 방향성으로 우리는 이 극들을 타나토스와 에로스라 부를 수 있을 것이다. 사랑하고 연대하고 보듬는 축이 에

로스라면 공격하고 파괴하고 단절시키는 것은 타나토스의 역할이다. 그 끝은 물론 죽음일 것이다. 영화는 오베를 삶의 방향으로 이끄는 이웃들의 역할과, 그들의 관심과 보살핌 속에서 서서히 드러나는 오베 내면의 에로스적 요소를 강조하며 오베와 함께 이 힘겨운 싸움을 겪어낸다. 에너지가 축적되고, 그 힘이 충분히 죽음 충동과 겨룰 수 있게 되었을 때, 그는 사람들과 연대하여 위기에 처한 친구 부부를 돕는다.

〈오베라는 남자〉는 돌이킬 수 없는 사고를 당한 사람들이 다시 삶을 시작하는 이야기이기도 하다. 이전의 삶과 새로운 삶 사이에는 인력으로 변화시킬 수 없는 단절이 존재한다. 다시는 예전의 삶을 회복할 수 없는 것이다. 사고로 아이를 잃고 자신도 장애를 가지게 된 소냐, 부모를 모두 잃고 아내와 아이까지 잃게 된 오베의 서사는 회복할 수 없이 망가진 우리의 일부를 가리키고 있다. 다시는 돌아갈 수 없게 되었고, 다시는 그 사람을 만날 수 없게 된 이 절망적 서사는 우리 모두 언젠가 체험한 고통스러운 이야기이기에 우리도 이 인물들의 서사에 함께 절망한다. 그러나 영화는 그럼에도 불구하고 다시 삶을 시작해야 한다고 말한다. 두 번째 삶이 시작되기 위해서는 첫 번째 삶의 빛나는 순간들을 떠날 수 있어야 한다. 영화는 그 기억을 품는 일과 동시에 그 찬란한 순간들을 보내는 일에 대해 말하고 있다. 잘 보낼 때 우리는 더욱 잘 품을 수 있다. 그것이 바로 애도이다. 한 마디로 이 작품은 오베가 소냐의 죽음을 애도하는 과정을 그리고 있다. 그녀를 잘 보내며 그녀에 대한 아름다운 기억들을 품는 것이다. 그런데 이 순간 기적이 일어난다. 오베가 자신이 삶 속에서 소냐의 역할을 맡아, 절망한 이의 눈앞에 나타난 빨간 구두가 되어 주는 것이다. 이것이 바로 결코 되돌릴 수 없는 과거가 우리의 현재에 반복되는 관계의 마술이다.

김 서 영 __ gradiva72@naver.com
영국 셰필드대 정신과 심리치료연구센터에서 정신분석학 이론으로 석 · 박사 학위를 받음. 저서로 『영화로 읽는 정신분석』 『프로이트의 환자들』 『내 무의식의 방』 『프로이트의 〈꿈의 해석〉』 『프로이트의 편지』가 있으며 역서에 『라캉 읽기』 『에크리 읽기』 『시차적 관점』이 있음. 광운대학교 인제니움학부대학 교수.

허우 샤오시엔 감독

무협이 사라진 시대에 무협을 보여주고 들려준 명작이다.
우아하고 우아하고 우아한 무협영화다.
허우샤오시엔판 무협영화로 새로운 경지를 선보였다.
영화적 이미지의 한 정점을 찍고 있다.
섭은낭(서기)은 당나라 시대의 여성협객이다.…
일반적인 무협영화와는 다르게 빈번하게 등장하는
여러 폭의 동양화를 겹쳐놓은 듯한 우아한 자연풍경은
그녀의 고민하고 갈등하는 내면풍경과
조응하는 것처럼 여겨진다.
영화 안에서 인물과 그 인물이 놓여있는 배경은
서로가 서로를 유려하게 감싸 안으며 고요한 파문을 일으킨다.

— 추천위원의 선정이유 中

자객 섭은낭

감독/ 허우 샤오시엔
출연/ 서기, 장첸, 츠마부키 사토시,
흔영, 장소회, 좌소청, 팡 메이, 예대
각본/ 주천문, 허우 샤오시엔
촬영/ 마크 리 핑빙
음악/ 임강
편집/ 요경송

부조리한 생의 비밀과 책임의 윤리

— 허우 샤오시엔 감독, 〈자객 섭은낭〉

최창근

> 오, 사랑이여! 오, 삶이여!
> 삶이 아니라 차라리 죽음 속의 사랑을!
>
> — 윌리엄 셰익스피어, 《로미오와 줄리엣》(김재남 옮김) 4막 5장에서

> 가끔 나는 모순을 더 이상 견딜 수 없을 것이라고 느끼는 때가 있다. 하늘이 싸늘하고 자연 속의 그 어느 것 하나 지탱해주지 않을 때…… 아! 어쩌면 죽는 편이 나을 지도 모르겠다.
>
> — 알베르 까뮈, 《작가수첩 2》(김화영 옮김)에서

2016년에 개봉한 영화 중 가장 큰 논쟁의 중심이 됐던 두 작품은 아마도 〈곡성〉과 〈설리: 허드슨 강의 기적(이하 설리)〉이었을 것이다. 〈추격자〉,

〈황해〉에 이은 나홍진 감독의 세 번째 영화로 일찍이 강렬하고 탄탄한 플롯을 갖춘 시나리오가 입소문이 나서 충무로의 기대와 궁금증을 자아냈던 〈곡성〉은 역설적이게도 애매모호한 결말로 연출자의 진심을 의심 받았고 세월호 참사를 떠올리게 해서 한국적 상황을 대입시킬 수밖에 없게 했던 클린트 이스트우드의 〈설리〉는 작품의 완성도와는 별개로 반인권적인 이미지가 강한 미국의 공화당 대통령 후보였던 도널드 트럼프를 지지하는 감독 자신의 행적이 논란이 됐다.

절체절명의 재난 상황에서 위기를 벗어나게 만든 인간적인 영웅담으로 〈설리〉를 해석했던 여러 영화관계자들의 견해와는 달리 개인적으로는 이 영화를 '영웅' 보다는 '현자' 를 원하는 현대사회의 변화된 흐름으로 읽었고 열린 결말로 관객들의 다양한 독법을 적극적으로 요구하게 만들었던 〈곡성〉은 난세에 어김없이 등장하는 '거짓선지자false prophets' 의 문제로 받아들여졌다. 그러나 두 영화와 달리 시대적 질문을 던져줌과 동시에 마음의 움직임을 요동치게 만들었던 작품은 이준익의 〈동주〉와 김지운의 〈밀정〉이었다. 이 역시 국정농단의 중심에 서 있는 현 정부가 '친일' 과 '독재' 라는 청산하지 못한 한국현대사의 연장선에 놓여있다는 현실적인 자각과 인식이 맞물려있었기 때문이었으리라.

그런데 정작 내게 한번쯤 글을 써보고 싶다는 의욕을 불러일으킨 영화는 오히려 〈자객 섭은낭〉이었다. 대만의 거장 영화감독인 허우 샤오시엔은 중국의 5세대 감독인 장이모가 후기로 올수록 형식에 치우친 할리우드 대작영화의 세계로 빠져들거나 첸 카이거가 소박한 리얼리즘의 세계로 귀환하는 현재에도 여전히 새로운 실험을 감행하고 있다. 시대의 아픔을 담아낸 그의 초기 대표작 중의 하나인 〈비정성시〉가 카메라를 든 역사가로

서의 감독의 모습을 반영하고 있다면 여덟 번째 영화인 〈자객 섭은낭〉에서는 카메라를 든 시인으로 변신했다는 느낌이 들 정도이다.

이 영화의 미장센은 신기하게도 꽉 짜여있는 듯하면서도 느슨하게 비어 있다. 그 비어있음은 완전한 진공상태를 의미한다기보다는 어느 한쪽이 다른 한쪽을 슬며시 밀어내면서 자연스럽게 생성되는 그 무엇이다. 정확히 어떤 것이라고 딱 꼬집어 말할 수 없는 묘한 기운이 모든 화면에 별 모양의 얼룩처럼 어른거린다. 그것이 실내에서 촬영한 장면이든, 야외에서 촬영한 장면이든 세트의 붉은색과 자연의 푸른색은 인공조명 같은 자연광 안에서 섞이고 혼합되면서 오히려 선명한 대비를 빚어내니 참으로 기이한 노릇이다. 불그스름한 노랑과 푸르스름한 초록이 만나면 우리는 그것을 무엇으로 불러야하나.

그리고 그와 결합하는 소리의 움직임은 또 어떠한가. 가늘고 긴 북과 피

리의 강렬하고 자극적인 애무, 홀로 공중을 배회하는 메마른 나뭇가지의 이름 모를 스침, 커튼과 같은 비단으로 된 막의 일렁거림과 고독과 침묵을 동반한 그림자의 흔들림. 색色도 아니고 공空도 아닌, 그렇다고 성聖도 아니고 속俗도 아닌 어떤 비결정의 상태. 가히 경계를 넘나드는 혹은 경계를 지워버린 색과 빛의 질서정연한 카니발이라고나 할까. 어쩌면 꿈 같고 환상 같은 빛과 색의 흐름과 안개와 구름, 바람의 방향이 그럼에도 불구하고 주인공들이 처한 엄연한 현실 앞으로 어김없이 굴절되고 투영되는 까닭은 이 때문이 아닐까.

그렇게 모순되는 이율배반적인 아스라한 선명함은 "검은 무정한 법" 이라는 섭은낭의 말에서처럼 비록 부조리하지만 군더더기가 없다. 이안 감독의 〈와호장룡〉에서처럼 이 영화에서도 협을 겨루는 인물들의 무예가 단순한 무술이 아니라 절제된 춤처럼 표현되는 것도 그와 연관이 있다. 그리고 이러한 모순과 이율배반을 내포한 부조리는 화면에서뿐만 아니라 영화가 제시하는 주제에까지 가 닿는다.

섭은낭(서기)은 당나라 시대의 여성협객이다. 그는 고위관료의 딸로 태어났지만 자객으로 키워진다. 그리고 나중에 자신에게 무술을 가르쳐준 스승으로부터 어렸을 때 헤어졌던 정혼자이자 지금은 타락한 권력의 상징이 된 전계안(장첸)을 암살하라는 지령을 받는다. 하지만 그녀는 망설인다. 섭은낭이 인정사정볼 것 없는 자객으로 성장했다면 당연히 과거의 사사로운 인연은 대의 앞에 무릎을 꿇어야겠지만 그는 끊임없이 주저하면서 전계안을 죽여야하는 거사를 미루고 지연한다. 심지어 결정적인 순간이 와도 일부러 피하고 달아난다. 섭은낭은 자객이긴 하지만 끊임없이 흔들리는 인물이다. 그리고 일반적인 무협영화와는 다르게 빈번하게 등장하는 여러 폭의 동양화를 겹쳐놓은 듯한 우아한 자연풍경은 왠지모르게 이러한 그녀의 고민하고 갈등하는 내면풍경과 조응하는 것처럼 여겨진다. 영화 안에서 인물과 그 인물이 놓여있는 배경은 서로가 서로를 유려하게 감싸 안으며 고요한 파문을 일으킨다.

이 영화가 가 닿으려고 하는 주제의식을 가장 함축적으로 드러내면서 인상 깊게 파고들고 있는 장면의 하나는 섭은낭이 자신의 스승인 여도사에게 전계안의 아이가 너무 귀여워 차마 죽일 수 없었다고 암살에 실패한 이유를 털어놓는 대목이다. 섭은낭을 평범한 자객으로 볼 수 없게 만드는 인간에 대한 연민으로 충만한 이 부분은 알베르 까뮈의 희곡 〈정의의 사람들Les justes〉을 떠올리게 한다. 실제 인물들을 글감으로 한 이 작품은 1905년 2월 모스크바에서 러시아 황제의 숙부인 독재자 세르게이 대공을 폭탄으로 테러하려는 젊은 사회주의 혁명당원들에 관한 이야기이다.

일명 '야네크'라 불리는 주인공 이반 칼리아예프는 몇 달의 준비 끝에 대공이 탄 마차에 폭탄을 던질 기회를 얻게 되지만 그 마차에 대공의 어린 조카와 조카딸이 함께 타고 있다는 사실을 확인하고 거사를 실행에 옮기지 못한다. 칼리아예프의 연인이자 동지인 도라 둘보프는 파괴의 행위에도 어떤 질서가 있고 한계가 있는 법이라고 주장하면서 야네크의 선택을 옹호한다. 그러나 또 다른 동료인 스테판 페도로프는 어리석은 감상 때문에 현재와 미래의 모든 고난을 뿌리 뽑으려고 하는 혁명의 열망을 무화시켰다고 강력하게 비판한다. 그러자 야네크는 확신할 수 없는 먼 미래의 세상을 위해서 나와 같이 이 순간 이 땅위에서 함께 살아가는 사람들을 배신할 수 없다고 반박한다. 목적을 달성하기 위한 수단으로 어린이를 죽이는 것은 옳지 않다고 생각하는 그는 혁명이 명예와 갈라지게 된다면 과감하게 혁명을 버리겠다고까지 말한다.

진보진영 안에서도 온건파에 속하는 낭만적 이상주의자와 급진파에 가까운 지독한 현실주의자의 대립은 우리 사회 어느 조직이나 단체 안에서도 쉽게 목격할 수 있는 상황이다. 작가의 분신이자 중간자의 입장에 서 있는 도라는 자신들이 수행하는 테러의 본질이 무엇인지를 끊임없이 되묻는 존재이다. 다시 말하면 정의란 무엇이고 그것은 어떻게 구현되는가에 대해 치열하게 고민하고 싸우는 인물이다. 아름다운 삶을 위한 위대한 열정은 그렇게 어설픈 휴머니즘과 과감하게 결별한다.

다시 기회를 얻어 대공을 살해하는데 성공한 야네크는 자신이 저지른 명백한 살인행위에 대해 스스로의 생명으로 대가를 치러야만 자신의 행위를 정당화시킬 수 있다고 믿으면서 사면을 완강하게 거부하고 사형집행을 맞이한다. 까뮈는 〈정의의 사람들〉을 언급하면서 오늘날 우리가 살고 있

는 세계가 가증스러운 모습을 보여주는 까닭은 자기 자신을 그 대가로 바치지도 않으면서 다른 사람들을 죽일 권리를 스스로에게 허용하는 사람들에 의하여 만들어진다고 날카롭게 지적했다. 그는 생명으로 생명을 갚는다는 논리는 잘못된 것이지만 존중할 만한 것이라고 칭송했다. 타인의 죽음을 자신의 죽음으로 맞바꿀 만큼 진실한 책임윤리가 필요하다는 것.

섭은낭이 끝까지 전계안을 죽이지 못한 것은 무엇 때문일까. 어느 순간은 남자, 또 어느 순간은 여자처럼 보이는 그/그녀가 생각한 '정의' 란 무엇일까. 양성과 중성의 대표자처럼도 여겨지는 그녀/그가 '사랑' 이라는 이름으로 최후의 순간까지 책임지고 싶었던 것은 무엇일까. 새로운 만남을 위해 작별은 꼭 필요한 법이다. 섭은낭은 전계안을 죽이는 대신 스승과 헤어지는 과감한 결단을 내린다. 그리고 다시 세상 속으로 뚜벅뚜벅 걸어나온다. 그러한 선택은 자객의 길을 포기하고 인간의 길을 열어주면서 스스로가 모순과 이율배반으로 얼룩진 부조리한 생의 비밀을 밝혀나갈 수

있는 통로를 마련해준다.

그렇게 해서 섭은낭은 새로운 세상을 만나게 된다. 그러하기에 마경소년(츠마부키 사토시)과 신라로 떠난다는 마지막 장면의 설정은 더없이 신비롭고 낭만적이다. 그런데 그 신비한 낭만은 자신이 주체적으로 선택한 삶에 대한 혁명을 예비한다. 진실보다 진심이 앞서는 이를테면 모험가의 다이어리에나 적혀있을 법한, 우리가 흔히 '상식'과 '양심'이라 부르는 행동의 윤리가 오롯하게 작동하는. 무림의 은자와 숨은 고수들이 백가쟁명했던 옛 중국의 당나라 시대를 배경으로 하는 허우 샤오시엔의 〈자객 섭은낭〉은 시대를 뛰어넘어 또 그렇게 '오늘날의 한국사회'라는 야만의 시대와 뜨겁게 조우한다.

최 창 근 _ anima69@empas.com

극작가 겸 연출가. 영화 애호가. 2001년 우리극연구소 새 작가, 새 무대에 희곡을 올리면서 데뷔. 저서로 희곡집『봄날은 간다』, 산문집『인생이여, 고마워요』『종이로 만든 배』 등이 있음.

알폰소 쿠아론 감독

칠드런 오브 맨

감독/ 알폰소 쿠아론
출연/ 클라이브 오웬, 줄리안 무어,
마이클 케인, 치웨텔 에지오프,
찰리 허냄, 클레어-홉 애쉬티
원작/ P.D.제임스
본/ 알폰서 쿠아론, 티모시 J. 섹스턴
촬영/ 엠마누엘 루베즈키
음악/ 존 태버너
편집/ 알폰소 쿠아론,
알렉스 로드리게즈

이 영화가 나온 지 꼭 십년 만에 다시 지식인들 사이에서
열정적으로 거론되는 이유는 무엇일까?
두 멕시코 출신 시네아스트 알폰소 쿠아론과
엠마누엘 루즈베키의 환상적 케미에서 탄생한 영화이니 만큼
충분히 재조명될 가치가 있으나, 더 중요한 것은 2006년에 나온
근미래적 SF가 바로 오늘날 "브렉시트와 도널드 트럼프 당선 후
사람들이 분명 느끼는 무언가"를 너무도 잘 보여주고 있다는 사실이다.
여기에서 공간은 SF의 과장된 세트 역할보다는
그 자체가 다큐멘터리처럼 있는 그대로 기록할 대상이자
주인공으로 화한다. 엠마누엘 루즈베키의 혁신적 촬영 기술은
이 맥락에서, 윤리적 차원을 획득하며 진정한 빛을 발한다.

— 추천위원의 선정이유 中

SF적 외형 너머로 보이는 예지력, 현실 인식, 새로운 이미지들

— 알폰소 쿠아론 감독 〈칠드런 오브 맨〉

김혜신

1. 2016년의 세계를 가장 잘 예견한 2006년 영화

2016년 9월 비로소 한국에서 처음 개봉한 〈칠드런 오브 맨〉(Children of Men, 2006)은 알폰소 쿠아론Alfonso Cuarón 감독의 저 유명한 〈그래비티〉(Gravity, 2013) 전작이다. 오스카상 세 개 부문에 이름을 올리긴 했으나 7천 6백만 달러를 들인 〈칠드런 오브 맨〉은 당시 상업적 실패로 끝났다. 〈해리포터와 아즈카반의 죄수〉(2004) 촬영 시기를 포함 수년 간 이 작품 준비에다 마음을 쏟고 공을 들인 알폰소 쿠아론은 이후 몇 년간 칩거와 절치부심의 시기를 보냈다. 작품은 2006년 베니스영화제에서 9월 3일에 첫 선을 보였고(엠마누엘 루베즈키 기술공헌상, 알폰소 쿠아론 매직랜턴상 수상), 이어 9월에 개봉한 프랑스와 영국을 선두로 미국에서는 그 해 성탄절에 개봉된 바 있다.

영화는 지구상의 모든 여성이 아이를 낳을 수 없는 지경에 이르는 2027년의 근미래적인 불임 상태를 가정한다. 지구상에서 마지막으로 태어났던 라틴계 아이마저 열여덟의 나이로 죽는 절체절명의 위기상황에서 이주민 은신처에서 여성 키Kee가 아이를 잉태하여 낳게 된다. 인류를 구해내기 위한 일명 '휴먼프로젝트'가 은밀히 진행되고 있다는 소식에, 아이가 정치적으로 악용되고 아이를 빼앗길까 두려움에 떨던 그녀는 희망을 품게 되고 테오Teo를 비롯한 모든 이들이 죽음을 무릅쓰고서 모녀를 절멸의 현재로부터 탈출하여 '미래호'를 타게 돕는다는 비교적 단순한 스토리 라인을 갖고 있다. 그러나 관습적인 SF라면 마땅히 부각됨직한 그 휴먼프로젝트는 구체적인 정체가 거의 드러나지 않고, 미래호가 향할 곳은 어디며 그 구출 행위의 성공 여부조차 명시적으로 알 수 없다. 명멸하는 작은 등대 빛과 조각배에 위태로이 의지한 채, 갓 태어난 생명을 보듬어 안은 키가

구조를 기다리는 장면에서 영화는 열린 결말로 끝난다.

〈칠드런 오브 맨〉은 SF의 외관을 갖고 있긴 하지만 사실상은 이처럼 할리우드 문법과 거리가 있는 작품이기에, 제작 과정에서부터 우여곡절을 겪은 바 있다. 줄리안 무어가 상대 역 클라이브 오웬과 호흡을 맞춘 이렇다 할 액션이나 로맨스 전개도 없이 전반 28분 만에 갑작스런 총격을 받아 사라지게 되니, 상식적인 기준으로 작품을 대중에게 어필하는 것은 난감한 일이 되고 말았을 것이다. 한국에서는 2007년 봄 전주국제영화제 기간의 상영을 제외하고 작년 극장 개봉 전까지 DVD로만 출시 됐었다.

매우 이례적으로, 한국에서 2016년 9월 영화가 나온 지 꼭 십년 만에 상업성과는 다소 거리가 있는 작품을 개봉(수입사: 씨네클럽봉봉미엘, 배급사: 영화사 마농)하게 된 이유는 과연 무엇일까? 또한 서구의 경우, 〈칠드런 오브 맨〉이 나온 지 십년 만에 다시 지식인들 사이에서 회자되게 된 이유는 무엇일까? 물론 전 세계를 놀라게 한 〈그래비티〉로 감독 알폰소 쿠아론의 대중적 인지도가 급상승한 배경도 있겠다. 특히 한국의 경우 쿠아론 감독의 대중적 인지도 변화는 대단히 클 것이다. 여기에 덧붙여 〈트리 오브 라이프〉, 〈그래비티〉, 〈버드맨〉, 〈레버넌트〉의 카메라 '안무'라고나 할 유영하는 듯한 동선과 롱테이크로 2015년과 2016년 아카데미 촬영상을 연속 수상한 엠마누엘 루베즈키의 아우라도 무시할 수 없다. 더구나 〈칠드런 오브 맨〉이 두 멕시코 출신 시네아스트 알폰소 쿠아론과 엠마누엘 루베즈키의 환상적인 케미에서 탄생한 영화이니 만큼, 개봉 십 주년을 맞아 다시 재평가와 조명을 받는다는 것이 영화예술의 측면에서 납득 못할 일은 아닐 터이다. 그러나 여기에는 국내외에서 공히 보다 더 거시적이고 근본적인 이유가 상당히 작용하고 있다고 보인다.

대표적으로, 미국의 중견 정치학자이자 스탠퍼드대학교 교수인 프랜시스 후쿠야마Francis Fukuyama는 2016년 새삼 다가오는 이 영화의 무게를 절감하며 자신의 생각을 표현한 바 있다. 그에 따르면, 작품은 현재 "브렉시트와 도널드 트럼프 당선 후 사람들이 분명코 느끼는 무언가"를 보여주고 있다. 난민과 이민자 수용 문제와 이민법 개정, 입출국 제어 등이 뜨거운 감자로 국제사회를 분열시키고 갈등을 고조시키고 있는 지금, 2006년에 나온 작품이지만 브렉시트로 상징되는 해인 2016년과 이후 전개될 수 있을 매우 현실감 있는 상황을 가장 잘 대변할 수 있는 영화로서 다시금 주목받고 있는 것이다. 이러한 문맥이 있기에, 작년 여름 BBC에서 전 세계 비평가 백 칠십여 명이 선정한 2000년대 이후의 역대 영화 중 〈칠드런 오브 맨〉이 13위를 차지한 것은 우연한 일이 아니다.

2. 끝없는 폭력과 모순의 도시/생명에 대한 갈구를 길게 찍기

영화를 자세히 보면, 알폰소 쿠아론에게서 SF는 어쩌면 외관에 지나지 않고 중요한 것은 그 너머에 있다는 생각이 든다. 〈칠드런 오브 맨〉의 경우, 원작인 P. D. 제임스의 미래 소설이나 SF 장르는 오히려 바로 지금 이곳에서 일어나는 인간의 현실 혹은 진실을 직시하게 하는 수단이나 빌미로 쓰이고 있다는 느낌마저 든다. 본질적으로, 리얼리즘 영화와 크게 다르지 않다. 여기에서 공간은 SF의 과장된 배경이나 세트 역할보다는, 그 자체가 고스란히 다큐멘터리처럼 진실하게 있는 그대로 기록할 대상이자 주인공으로 화한다. 기본적으로 이런 이유에서, SF 시각효과와는 다른 차원의 롱테이크(알폰소 쿠아론은 무르나우Murnau적인 롱테이크 느낌을 원했다고 한다)와 핸드헬드 기법 사용이 필연적이 되는 것이다. 엠마누엘 루즈베키의 혁신적 촬영 기술은 이러한 맥락에서, 윤리적 차원을 획득하며 진정한 빛을 발한다. 실제 촬영 현장에서도 가상과 현실이 상호 교차하는 에피소드가 생긴 바 있는데, 2005년 7월 알폰소 쿠아론 감독이 런던 플릿Fleet 스트리트 카페 폭파 신을 계획하고 찍기 불과 얼마 전, 시내 한복판 곳곳에서 폭탄이 터지는 일이 생긴다. 팀은 위험 때문에 당국의 허락으로 단 하루를 허락 받고 저 유명한 카페 폭파 장면 촬영을 했다. 그만큼 작품에는 현장성이 강한 몇 장면이 포함된다.

영화 초반의 간략한 설정에 따르면, 뉴욕에 이어 유럽의 도시들은 물론 아시아의 도쿄며 자카르타 같은 도시들에 이르기까지 테러에 모두 초토화된 시점에서, 런던은 강력하게 맞대응하는 경찰력 덕분에 최후 보루처럼 버티는 마지막 도시로 설정된다. 런던은 화려함은 가고 그 뒤의 원죄처럼 풀길 없는 그림자들만이 남은 서구의 모습을 압축한 공간으로 비친다. 영

국의 수용소에 격리돼 마치 나치 수용소에서처럼 비인간적인 탄압을 받는 이민자들인 푸지들(refugee의 준말인데 영화에서는 경멸조로 '푸지' 라 불린다)도 물론 비참하지만, 시민들 또한 패닉 상태다. 이들은 테러의 위협에 이중 삼중으로 노출되어(영화를 주의 깊게 보면, 극단적인 푸지들과 과잉된 경찰 진압, 때로 공포심을 이용하여 압제를 정당화하는 연출된 폭력 등 복합적 원인이 있다) 공포감과 마약과 자살 충동 속에서 살아간다. 여기에서는 근원을 알기 어려운 폭력이 끊임없이 악순환하고, 이민자들과 시민들은 극단적인 양쪽 세력 사이에서 자신들이 과연 누구의 희생양이 되는 지 진실도 모르는 채 죽어간다. 보통 사람들이 여기서 빠져나갈 수 있는 출구는 없고 주변 해안가는 모두 봉쇄돼 있다.

대사 자체가 별로 없는 이 작품에서, 그러한 정황들은 전혀 설명적이지 않은 방식으로 그려진다. 간혹 무엇을 추론해볼 수 있는 대사나 정보가 잠깐씩 주어질 뿐이다. 이는 다분히 의도적이라 볼 수 있다. SF로서는 매우 드물게, 선악 양자 구도가 아니라 고정 논리를 깨는 방식이 쓰인다. 가령, 총을 들고 폭력에 반대하는 리더 줄리안이나 히피적인 은둔자 재스퍼를 주저 없이 쏘는 급진 피쉬단원들은 경찰들만큼이나 무자비하고 잔인하다. 카메라가 평균 1~2분 이상의 쇼트 길이로 천천히 주시하는 디스토피아적 공간들의 이미지와 함께 그것과 분리할 수 없는 운명의 인간 군상들을 놓고, 파편적 대사들을 참고해가며 편견을 버리고 이렇게 저렇게 머릿속에서 전체를 짜맞춰보는 노력의 몫은 관객에게 돌아간다. 이 작품에서는 '길게찍기' 효과를 연장하는 편집 기술로 관객이 받는 실제 느낌은 배가되어, 전체 109분 중 40여 개 이상의 쇼트를 구분해내기가 쉽지 않다. 근미래에 일어날 사건이나 현상들을 하나의 단선적 논리 속에 쉽게 놓는 것이 유보되며, 단편적인 대사들이나 정보들은 상대적으로 호흡이 긴 관찰적 이미지들과 만나면서 보다 객관적이며 다면적인 의미 생성과 수용의 여지를 만들어낸다. 여기에서 영화적 묘미는 배가된다. 가령, 영화적 공간의 구성요소인 거리의 벽보나 신문 조각들(테오가 납치됐을 때 사방 벽을 두른 신문의 숱한 헤드라인들과 그 수만큼 인류의 긴박한 사건들), 그래피티(거리의 그래피티 아티스트까지 기용한 '휴먼 프로젝트' 낙서 등), 혹은 조각(미켈란젤로의 '다비드상')이나 조형물(영화 속 암호 "파시스트 돼지"를 설명해주는 조지 오웰과 핑크 플로이드적인 풍자 맥락의 돼지 풍선 조형물), 그림(나치에 의한 대량학살을 암시하는 피카소의 '게르니카' 외)이나 사진(테오와 줄리안의 과거에 대해 모든 것을 압축해주는) 쇼트 또한 어느 구두 설명보다 영화 속 정황에 대해 관객에게 알려주는 바가 많다. 영화를 여러 번 볼수록 새로 발견하게 되는 점도 그만큼 풍부해진다.

〈칠드런 오브 맨〉에서는 이처럼 모든 공간과 모든 정보들에 대한 시선, 즉 현실을 외면하지 않고 직시하는 '시선'이 중요하지만, 바로 이 절망적 현 상태 속에서 희망과 미래를 찾아내는 시선 또한 중요하다. 이 작품에는 아마도 영화사에 길이 남을 롱테이크 장면이 몇 있다. 줄리안 습격 장면에서 지붕을 H자로 뚫은 특수 차량에 도기캠Doggiecam을 이용해 복잡한 동선의 액션을 247초 롱테이크로 촬영한 자동차 신 등도 경이롭지만, 그 중 영화 후반 이민자 격리 지역 시가전 장면과 여기에 이어지는 테오가 키 모녀를 구해서 나오는 명장면은 잠시 언급을 안 할 수 없다. 전투 장면 롱테이크는 한국에서 12 분여 지속되는 것으로 많이 알려져 있지만, 감독 인터뷰에 따르자면 정확히 379초간 지속된다 (촬영기간 14일 중 13일을 준비하고 마지막 날 마지막 타임에 운명처럼 건진 장면이다). 6분 이상 컷 없이, 카메라는 렌즈에 튄 핏자국이 선연한 채로, 전쟁을 방불케 하는 파괴적인 난사전의 혼돈 상태와 그것을 뚫고 홀로 생사를 넘나들며 갓 태어난 아이와 엄마를 애타게 찾아 헤매는 테오의 저 '시선'을 대비적으로 함께 포착하고자 한다. 포탄이 쏟아지는 수용소의 모든 곳을 맨몸으로 맞서는 테오의 몸짓과 눈길이야말로 롱테이크의 존재 의미라 할 수 있다. 테오는 영화에서 한 번도 총을 드는 적이 없으며(줄리안이나 테오, 제스퍼는 비폭력주의가 몸에 밴 캐릭터들로 보인다), 테오의 간절한 시선은 한 생명을 구할 수 있다는 실낱같은 희망에 의지하여, 그 어느 증오어린 전투의 포화보다 어떤 면에서 점점 더 강렬해진다. 테오는 마침내 군인들과 이민자들이 혈전을 벌이는 건물 높은 곳에서 모녀를 발견하고 밖으로 데리고 나오게 되는데, 무참히 부서진 건물 속에서 아이 울음소리가 작게 울려 퍼지자 서로 총부리를 겨누었던 모든 사람들이 똑같이 감전된 몸짓으로 홍해처럼 갈 길을 터주며 잠시 미소를 되찾게 하는 기적이 일어난다. 난타전 중 일순간 아이 울음과 함께 찾아온 평화로운 정적의 영원성을, 테오 일행의 동선과 리듬을, 그리고 원경의 소음들까지 그대로 살린 카메라 워크와 길게 찍기가 절묘하다. 한때 사회운동가였으나 아들 딜런이 죽고 현실의 무게 속에서 무기력함과 냉소에 빠져있던 테오는 키 모녀와 함께하는 여정 속에서 달라져간다. 테오는 이 속에서 성장하고 끝내 생명에 대한 꿈을 위해 죽는다.

"피에타가 사라졌다." 문화재청장인 테오의 사촌이 이렇게 한마디로 툭 무감하게 응수하는 장면이 있다. 그는 현실에 별 감흥이 없는 미술품 수집가로서 아마도 예술품 피에타를 피폐화된 도시들을 뒤지며 찾고 있을 것이다. 그러나 테오는 현실을 묵과하지 않고 그 비극적 공간들을 온몸으로 가로지르는 행위를 통해 낮은 곳에 살아있는 '피에타'를 간절히 찾고, 발견하고, 보호하려는 인물로 점차 바뀐다는 점에 의미가 있다. 작품의 카메라 무브먼트는 공간적이지만, 나치 수용소 같은 과거 깊은 자각이 없는 현재 - 그것이 가져올 반복된 폭력의 미래상 · 생명을 위한 반성과 희생의 순간을 통과하는 일련의 시간여행과도 같이 나타난다.

3. 영화적 상징으로 가는 도중의 종교적 이미지들

〈칠드런 오브 맨〉에는 각각 신과 등대를 의미하는 이름('Teo' 'Paron' , 테오 파론)의 조합을 비롯한 미리암 등 등장인물들이 가지고 있는 종교적인 이름과 역할들 외에 종교적인 함의들이 있다는 점은 누차 지적돼 왔다. 그러나 여기에는 단순히 기독교적이 아닌, 교조주의와 인종을 뛰어넘는 생명과 평화에 대한 경외어린 시선이 무엇보다 우선이라는 각도에서의 '종교성' 이 해당된다. 한 가지 이미지 예를 통해서, 이 영화만이 가지는 이미지의 특성과 여기에 고유한 의미작용을 생각해보자.

이민자 권익을 위해 저항운동을 하는 피쉬단원들의 은신처 소 외양간에서 어느 날 밤, 일원인 키가 만삭의 몸이라는 충격적인 사실이 밝혀진다. 소녀에 가까운 순수하고 어린 여성의 역할을 맡은 영국 배우 클레어-호프 애쉬티Clare-Hope Ashitey는 테오 앞에서 갑자기 아이를 잉태한 자신의 몸을 보여주며 도움을 청한다. 키는 비폭력을 주장하는 줄리안이 피쉬단 강경파에 의해 제거 당한 후, 자신을 보호해줄 유일한 인물이 테오라는 점을 호소한다. 처녀로서 아이 아버지가 마치 없다는 듯 언급조차 하지 않고 이 갑작스러운 임신 사실을 알리는 장면은 여기에 마치 동정녀 마리아 수태고지와 마구간에서 아기 예수가 태어날 때의 분위기 같은 성경의 함의들과 도상들이 섞여있다는 느낌을 준다.

그러나 정작 그녀는 매우 자연스럽게 잠시, 보티첼리S. Botticelli의 '비너스의 탄생' 과 같은 베누스 푸티카Venus Putica 자세를 취한다. 이 실존했던 독신 여성 시모네타의 초월적 아름다움을 신화로 만든 자세는 르네상스와 휴머니즘의 대명사 격 이미지가 아닌가. 여기에 르네상스 시대의 도상이 활용된 것은 내가 보기에, 우연은 아니다. 어느 하나의 종교를 대변하는 기독교적 관점이 아닌, 생명 잉태에 대한 보다 인간적이면서 동시에 성스러운 느낌을 주는 이미지가 필요했기 때문이 아닐까? 아무튼 여기에서는 종교성은 분명히 느껴지나, 한편으로 교조적인 '종교' 를 경계하는 태도가 보인다. 테오가 테이트모던갤러리에 들어서는 순간 발견하는 미켈란젤로의 '다비드상' 도 어찌 보면 인문주의 시대의 교권에 맞서는 공화국 정신을 대변하는 것이므로, 보티첼리의 비너스와 짝을 이룰 수 있는 이미지이다. 그러나 가나 출신 이민자 키의 임신한 몸이 성모마리아나 비너스에 비견될 만큼 아름다운 어떤 것임에 비해, 영화 속에서 다리를 다친 것으로 나타나는 다비드상은 규모만 크지 어쩐지 공허하고 과장되게 느껴진다. 골리앗에 맞서 싸웠던 다윗의 정신은 어디로 가고 마치 기념비적인 형체로 남은 인본주의적 공화국의 이상을 보여주는 것처럼. 미술관에 설치된 조형들과 '게르니카' 그림은 얼핏, 전체 영화와 동떨어진 것 같으나 사실은 감독의 독창적인 선택이라고 여겨진다.

영화에서 키의 독특한 제스처만큼 흥미로운 것은, 키가 어떻게 아이를 갖게 됐고 그 아버지가 누군지 일반적인 영화 서사와는 달리 전혀 중요하지 않다는 점이다. 아이 아버지가 백인이건 흑인이건 출신이 어디건 중요하지 않다. 일부러 이러한 정보를 지운 것이고, 지울 수밖에 없는 것으로 이해된다. 기독교와 비기독교, 백인과 유색 인종, 푸지 여부 등이 작품이 보여주는 세상의 폭력의 중심에 있는 만큼, 이러한 양분적인 갈등을 벗어

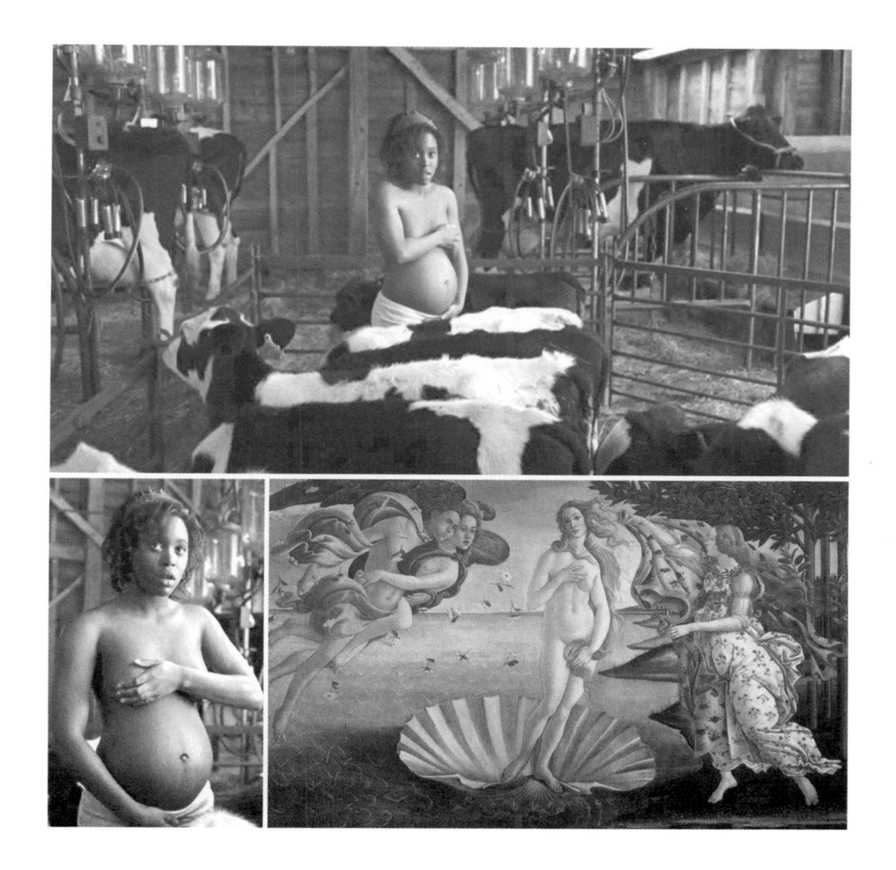

나는 길은 그 구분의 틀을 벗어나는 길밖에 없을 것이다. 따라서 엄밀히 보면, 기독교적인 처녀 수태를 모방했다기보다 매우 윤리적이며 정치적인 선택이다. 세상의 갈등을 봉합할 인물로 약자 중 약자이자 무구한 흑인 소녀가 필요하고, 그가 낳는 아버지 없는 딸이 필요한 것일지 모른다. 종교적 맥락에서라기보다 어떤 면에서, 새로운 인간주의 관점의 선택이다. 이처럼 알폰소 쿠아론은 영화에서 기독교적이거나 전통적 아이콘들을 변형하고 전복하고 새로운 가치, 새로운 이미지 특질을 부여하고 있는 듯하다.

이는 영화이미지를 사변적으로 만들 우려가 있는 필자의 지나친 해석일까? 아무튼 알폰소 쿠아론의 종교적 시각은 열려 있으며, 가령 불교의 "옴마니반메훔" 진언이나 힌두교의 "평화 평화Shanti Shanti"와 같은 다른 종교들의 염원도 새로운 인간주의 속에서 하나로 화합한다. 음악은 영국 작곡가 존 태브너John Tavner의 종교음악('Fragments of a prayer')과 함께 존 레넌(특히 존 레넌에게서 캐릭터를 따왔고 70년대 히피문화와 저항운동을 연상케 하는 재스퍼와 관련), 킹 크림슨, 핑크 플로이드 앨범 속 음악 등이 나란히 쓰였다.

분명, 이 작품은 전형적인 SF와는 달리, 대중적으로 '재미있는' 스토리 전개도 SF 장르에 흔한 화려한 세트나 이렇다 할 시각효과, 지루할 틈 없는 볼거리도 갖고 있지 않다. 오히려 CG나 판타지를 거부하는 것이 감독에게나 촬영을 맡은 사람에게 이 영화를 찍는 기본적인 원칙이었기에, '비주얼' 적인 면을 볼 때 결핍이 있을 수밖에 없다. 특히 엠마누엘 루베즈키는 자신의 소신에 따라 이 영화에서 CG(테오가 아이를 받는 명장면의 태아 CG 외에 눈에 띄는 것이 없다)의 손쉬운 사용에 대해 철저히 견제를 한 것으로 알려져 있다. 이를 놓칠 때, 어쩌면 새로울 것이 없고 SF로서 미숙하고 "유치하다"(〈카이에 뒤 시네마〉의 필진조차 2006년 개봉 당시 이러한 평을 한 바 있다)는 부정적인 의견이 나올 법 하다. 나는 다음과 같은 질문을 다시 던져 본다: 알폰소 쿠아론이 작품을 통해 궁극적으로 이르고자 한 것이 근사한 SF 장르영화였던가? 그에게, SF라는 장르는 처음부터 자본과 대중영화라는 작품의 숙명 속에서 그의 마음 저 밑바닥에서부터 하고 싶은 현실 이야기를 담아 전달하기 위한 하나의 빌미가 아니었을까? 이에 대한 생각이 작품을 진부한 것으로 보느냐(SF 적인 층위에서), 가치 있는 것(설명이 아니라 표현을 통해 이 처참한 현실을 고스란히 느끼게 하려는 악전고투)으로 보느냐 판단하는 기준점이 될 수 있을 것 같다. 개봉 당시 작품을 감동 깊게 본 저널리스트 로저 에버트의 경우, 이 SF의 중심 스토리가 되는 불임을 '맥거핀MacGuffin' 효과로 보고 사실 중요한 것은 그 너머에 있다고 했는데 이 때 비평적 관점은 후자에 있을 것이다. 그는 영화 속 모든 인간의 불임이라는 표면적 이야기가 중요한 것이 아니고, 정작 중요한 것은 그 뒤에 있는 이를테면 이민 문제나 다수의 공포심을 이용한 어떤 공권력의 남용 우려라고 보았다. 요컨대, 〈칠드런 오브 맨〉은 십년 전에 이미 오늘의 상황을 매우 정확하게 예언하고 독특하게 표현한 작품으로, 시간과 더불어 더욱 젊어지는 스탠리 큐브릭의 몇몇 작품들만큼이나 영원히 현재적인 작품으로 남을 것이다.

김 혜 신 _ hyeshin.kim@gmail.com

영화평론가. 소르본느 누벨대학교 영화영상학 박사. 2014-2016 부산국제영화제 '북투필름' 심사위원. 현재 전주대 영화방송제작학과 객원교수.

토드 헤인즈 감독

CAROL

감독/ 토드 헤인즈
출연/ 케이트 블란쳇, 루니 마라,
카일 챈들러, 제이크 레이시,
사라 폴슨, 존 마가로,
코리 마이클 스미스, 케빈 크로리
원작/ 페트리샤 하이스미스
각본/ 필리스 나지
촬영/ 에드워드 래크먼
음악/ 카터 버웰, 랜달 포스터
음향/ 가레스 라이스 존스
편집/ 아폰서 곤칼베스

사랑의 본질을 영상화한 솜씨가 숨 막힐 정도이다.
영화에서 배우가 가지는 수사적 기능을 유감없이 보여준다.
귀여운 동시에 용감하고, 차가운 동시에 무모하며,
불친절하면서 매혹적이다.
이성애자도 심금을 울리는
아름다운 사랑의 이야기를 담고 있다.

— 추천위원의 선정이유 中

매혹적인 시선의 교감이 자기답게 사는 결단으로 향하다

— 토드 헤인즈 감독 〈캐롤〉

이채원

흔한 듯 흔하지 않은, 사랑이라는 불가사의

수많은 소설과 영화에서 다루는 주제는 '사랑'으로 집결된다. 위대한 이야기는 대부분 러브스토리이다. 사람이 사람을 사랑한다는 것이 어떤 것인지를 당대 사회문화의 풍경과 함께 보여주는 장르가 바로 멜로드라마이다. 누군가를 사랑하게 되면 세상은 이전까지와는 다른 느낌과 색채로 다가온다. 사랑하는 대상과 함께 하는 일들은 사소한 것이라도 특별한 체험이 되고 상대의 말과 행동, 옷차림까지도 범상한 것이 아니게 된다. 사랑은 사람을 무모할 정도로 용감하고 강하게 만든다. 사랑은 때로 이성(理性)을 마비시키고 제정신을 잃게 하는 것처럼 보이기도 하지만 결국 인간을 구원하는 건 지식이나 논리가 아닌 사랑이다. 사랑은 흔해 보이지만 흔하지 않다. 우리가 멜로드라마에 빠지게 되는 이유는 주인공 인물들에 동화되어서 흔한 듯 흔하지 않은 사랑을 체험하고 싶기 때문이다. 때문에 멜로드라마는 사랑에 빠진 인물들의 감정의 파장을 형상화 할 뿐만 아니라 사랑이 인간을 어떻게 변화시키고 성장하게 하는가를 보여줘야 한다. 특히 시대와 사회가 요구하는 것과 다른 방향으로 향할 때 더 강렬해지는 감정의 역동성을 독창적으로 묘사하는 것이 멜로드라마의 본령本領이며 영화 〈캐롤〉은 1950년대 뉴욕의 겨울, 몽환적인 회색빛 시대를 배경으로 사랑에 빠진 인물들의 시선과 몸짓을 강렬하게 그려낸 탁월한 멜로드라마이다.

대조적인 캐릭터가 만드는 긴장과 몰입의 순간들

이 영화의 두 주인공, 캐롤(케이트 블란쳇)과 테레즈(루니 마라)는 모든 면에서 대조적인 캐릭터이다. 부유함과 자신감으로 무장한 캐롤은 눈에 띄는 화려한 외모의 소유자이며 상대를 유혹하는 눈빛을 가졌다. 캐롤의 캐릭터를 표상하는 의상은 모피코트와 주홍빛 스카프이다. 백화점 점원인 테레즈는 사진작가가 되고 싶어하지만 자신의 꿈에 대한 확신도 없고 제대로 된 사진기조차 없다. 테레즈는 움츠러든 것처럼 소심하게 보이지만 캐롤의 시선을 피하지 않는 단단한 캐릭터이다. 평범해 보이는 단정한 옷차림과 크리스마스 시즌 백화점 점원들이 착용하는 산타 모자가 테레즈의 성격과 신분을 보여준다. 영화 중반부까지 캐롤의 캐릭터가 압도적일 수 있었던 것은 캐롤의 화려한 아름다움 때문이기도 하지만 테레즈의 시선이 카메라의 시선이 되어서 테레즈의 시점 쇼트로 캐롤이 재현되기 때문이다. 사진작가 지망생이면서도 인물을 찍지 않았던 테레즈는 무심하게 머리를 넘기는 캐롤의 모습을 보고 카메라 셔터를 누른다. 캐롤을 찍은 사진이 테레즈의 다른 사진들과 다를 수 있었던 것은 피사체에 대한 애정 때문

이고 그 애정이 테레즈의 재능을 한층 더 끄집어내는 계기가 된다. 테레즈의 이름을 묻고 그 이름을 음미하듯이 리드미컬하게 발음해보는 캐롤에게 테레즈 역시 캐롤의 이름을 소리내어 불러준다. 테레즈는 캐롤에 의해 발견되고 사랑스러운 사람으로 자리매김 되며 캐롤은 테레즈에게 뮤즈가 되고 동경의 대상이 된다. 사랑하는 사람들이 처음 상대를 발견하고 각인하는 순간의 긴장과 몰입을 숨 막힐 정도로 잘 드러낸 두 사람의 시선의 교류는 너무나도 인상적이다. 마치 그 순간 시간이 정지한 듯이 느껴진다.

캐롤과 테레즈는 사회적 계층이 다르고 나이 차이도 많다. 귀부인과 비서처럼 보일 수도 있는 계급의 간극이 가시화되지만 두 인물 간의 권력관계는 수직적이지 않다. 만남을 주도하는 캐롤과 따라가는 듯한 테레즈의 권력관계가 평등할 수 있었던 것은 테레즈에게도 다른 선택지가 있기 때문이며 그럼에도 불구하고 테레즈와 캐롤 둘 다 서로를 원하기 때문이다.

또한 캐롤이 처한 위치는 복잡하다. 캐롤은 결혼했으며 아이까지 있지만 이혼을 원하는 상태이고 자신의 성적 지향이 마이너리티에 속한다는 것을 알고 있다. 캐롤을 붙잡아두려는 남편은 딸에 대한 캐롤의 사랑을 인질처럼 이용한다. 캐롤의 동성애 지향은 1950년대 뉴욕에서 정신병 취급을 받는 치명적인 약점이 된다. 결혼생활에서 도망치고 싶은 캐롤에게 테레즈와의 여행은 꿈꿀 수 있는 도피의 여정이지만 도피는 오래 지속될 수 없다.

레즈비언이즘을 부정하는 시각이 간과한 것

이 영화에 대해 언급한 많은 평론가들은 동성애 코드에 크게 의미를 부여하지 않았다. '동성 간 사랑' 보다는 '사랑' 자체에 더 주목했다. 신분, 인종, 나이, 종교 등이 사랑의 장애물이 되듯이 동성애에 대한 편견 역시

일종의 장애물일 뿐 '동성애' 자체가 이 영화의 핵심 논점은 아니라는 것이다. 분명 영화 〈캐롤〉은 때로 처연하지만 눈부신 사랑 이야기이다. 하지만 함께 있는 '두 여성' 이 자아내는 묘한 분위기가 이 영화의 독특한 빛과 색을 만드는 데 중요한 역할을 한다. 만약 캐롤이 애정 없는 결혼생활을 끝내고 싶어 하는 상위계층 '남성' 이라면 영화 전반의 분위기는 많이 달라졌을 것이다. 즉 부유한 중년 남성과 가난한 젊은 여성의 신분과 나이를 초월한 사랑 이야기라면 〈캐롤〉과는 전혀 다른 정치적 의미를 가지게 된다. 〈캐롤〉은 한 화면에 두 사람이 등장하는 것 자체가 금단의 열매를 먹는 것처럼 긴장감을 준다. 여성과 여성의 눈빛이 교차되면서 발현되는 에로티시즘의 긴장감은 이성애중심, 가부장 중심 결혼제도가 지배적인 사회에서 필연적으로 정치적인 의미를 지닐 수밖에 없다. 〈캐롤〉이 정치성을 전면에 내세우지 않은 영화라고 해도 그러하다. 멜로드라마는 역사적으로 발언권을 빼앗긴 사람들의 메아리라고 말한 데이비드 그림스테드의 언술이 멜로드라마의 정치성을 지적한 것이라면 〈캐롤〉은 그런 의미에서도 멜로드라마의 정수精髓를 구현하고 있다.

레즈비언 관계에서는 사랑조차 저항이나 혁명의 수단이 되는 경우가 있다. 레즈비언 페미니즘은 레즈비언이즘을 개인의 성적 지향보다는 가부장주의와 이성애주의라는 제도에 대항하는 정치적 전략으로 본다. 물론 캐롤과 테레즈의 사랑은 의도한 것도 계획한 것도 아닌 거부할 수 없는 치명적인 끌림에서 시작되었다. 레즈비언이즘의 정치적 전략과는 상관없다. 하지만 결과적으로 두 사람의 사랑은 이성애중심 가부장적 결혼이라는 견고한 제도에 온몸으로 부딪치고 그 견고함에 균열을 낸다. 남편의 도청으로 인해 양육권을 박탈당할 위기에 처한 캐롤은 테레즈를 잠시 떠났지만 결국 자신의 정체성을 부정하지 않는 선택을 한다. 자신을 부정하며 사는

엄마가 딸에게 좋은 영향을 줄 수 없을 거라고 말하는 캐롤은 기존의 모성 이데올로기와는 다른 모성을 보여준다. 여기서 확실하게 〈캐롤〉은 사랑이 무엇인지 보여주는 영화가 된다. 진정한 사랑은 자신을 속이지 않고 솔직하게 인정할 수 있는 용기를 가능하게 하며 자신의 내면에 있는 힘을 발견하게 한다. 상대를 있는 그대로 인정하기에 타자를 식민지화 하지 않고도 사랑할 수 있다. 그 누구에게도 상처를 주지 않고 사랑하는 게 불가능하다고 해도 그나마 '덜' 상처 주는 태도를 체득하게 된다.

단호하지만 고혹적인 멜로드라마

금기시 되는 관계에 도전하는 것은 때로 혁명보다 더 급진적인 꿈이 될 수 있다. 사랑과 섹슈얼리티는 인간 개인의 실존과 관계양상의 근원을 형성할 뿐만 아니라 사회와 시대를 뒤흔드는 동인動因이 된다. 영화 〈캐롤〉은 사랑과 섹슈얼리티의 전복적인 힘을 드러내어 설파說破하는 것이 아니라 인물 간 감정교류의 미묘한 떨림이 만들어내는 기류氣流를 섬세하게 묘사함으로써 우회적으로 보여준다. 타협하지 않고 단호한 결단을 내린 사람의 시선을 그토록 고혹적으로 연출한 엔딩 신은 관객의 가슴에 강렬하게 각인된다. 이 매혹적인 영화는 우리로 하여금 삭막하고 힘겨운 세상에서 사랑을 꿈꾸게 하고 '다른' 삶의 가능성을 배제하지 않을 수 있게 한다.

이 채 원 _ dike97@hanmail.net

영화평론가. 서강대학교 국문과 졸업. 동 대학원 문학박사. 2013년 《동아일보》 신춘문예 영화평론 부문 당선. 주요 저서로 『소설과 영화, 매체의 수사학』『영화 속 젠더 지평』 등이 있음. 나사렛대학교 교양학부 교수.

제이 로치 감독

트럼보

감독/ 제이 로치
연/ 브라이언 크랜스톤, 다이안 레인,
헬렌 미렌, 루이스 C.K., 엘르 패닝,
존 굿맨, 마이클 스털버그,
아데웰 아킨누오예 아베제
원작/ 브루스 쿡
각본/ 존 맥나마라
촬영/ 짐 드놀트
음악/ 테오도르 사피로
편집/ 알란 바움가르텐

블랙리스트를 내건 사상통제로 시련을 겪은
시나리오 작가 달톤 트럼보의 개인사가 기억해야 할
또 다른 파장으로 등장한다 …
이 글을 쓰려고 다시 보는 현재 이곳 현실 세상에서
터져나온 블랙리스트 파국은 보다 생생하게 다가온다.
그런 의미에서 이 영화는 할리우드 흑역사로 건져낸
전기영화에 그치지 않고, 언제 어디서건
유사하게 반복될 수 있는 사상검열 패턴과
그 해결방식을 제안하는 것처럼 보이기도 한다.

— 추천위원의 선정이유 中

블랙리스트를 타고 넘는 글쓰기의 힘

— 제이 로치 감독 〈트럼보〉

유지나

실화에 바탕을 둔 〈트럼보〉(2015)는 한 세대에 걸친 할리우드 영화사 이면을 재구성해 낸다. 경제공황과 제2차 세계대전, 그 이후 냉전시대 속에서 한국전쟁을 겪어낸 시기, 할리우드 영화는 TV와 경쟁하며 나름대로 스튜디오 중심 장르영화 황금기를 구가한 것처럼 보인다. 그러나 같은 시기, 블랙리스트를 내건 사상통제로 시련을 겪은 시나리오 작가 달톤 트럼보(1905～1976)의 개인사가 기억해야 할 또 다른 파장으로 등장한다.

이 영화가 한국에서 개봉되었을 때(2016년 4월7일 개봉)보다, 이 글을 쓰려고 다시 보는 현재 이곳 현실 세상에서 터져나온 블랙리스트 파국은 보다 생생하게 다가온다. 그런 의미에서, 이 텍스트는 할리우드 흑역사로 건져낸 전기영화에 그치지 않고, 언제 어디서건 유사하게 반복될 수 있는 사상검열 패턴과 그 해결방식을 제안하는 것처럼 보이기도 한다. 즉, 콘텍

스트에 따라 달라지는 텍스트의 의미작용 생성이 발생한 것이다.

"탁 탁~~타닥~ 탁탁~" 화면을 울리며 시끄럽게 터져나오는 타자기 자판 두들겨대는 소리로 텍스트가 열린다. 소리의 근원은 욕조에 앉아 시나리오 쓰기에 몰입한 트럼보이다. 이 소리를 연결 고리로 삼아 실내 집필실로 넘어가면, 가운 차림에 양손 집게손가락으로 정신없이 자판을 두드려대는 그의 작업 모습이 연결된다. 바로 영화의 설계도이자 출발점이기도 한 시나리오 탄생 과정을 목도하며 영화 세상이 현실 세상을 도입한다.

당대 영화계를 보여주는 일상적 풍경은 마치 유명 영화와 영화인 알아맞히기 게임처럼 흥미롭게 펼쳐진다. 할리우드를 대변하는 〈로마의 휴일〉로부터 〈스파르타쿠스〉에 이르기까지 당대 상영 풍경과 촬영장을 오가는 뒷이야기, 서부영화의 아이콘으로 미국적 영웅이기도 한 존 웨인,

(하여 유럽제국사를 부러워하는 미국인답게) '듀크' (백작)로 불리우는 그의 억압적 면모, 그 아우라에 눌려 영화보다 정치로 나간 로널드 레이건의 청문회 증언 모습, '스파르타쿠스' 처럼 블랙리스트 작가 이름을 크레딧에 올리는 쾌거를 올린 커크 더글러스, 그리고 스튜디오제작 풍토의 이단아였던 오토 프레밍거가 〈영광의 탈출〉 각본 수정을 부탁하러 성탄절 연휴에도 트럼보 집을 수시로 드나드는 행보 등등…이런 에피소드들은 영화만들기의 뒷담화이기도 하다.

그런 풍경에서 벌어지는 핵심 서사는 1947년 9월 '반미활동 조사위원회 HUAC' 가 표적을 맞춘 '할리우드 10' 중 대표적 인물 트럼보를 중심으로 작가, 제작자, 감독, 배우들과의 관계에서 벌어지는 역경의 투쟁담이다. 흑백이미지 뉴스릴과 시위현장은 그가 왜 이런 고난에 처하는지 구체적인 정보를 제공해준다. 주연 배우는 말할 것도 없고, 감독과 시나리오 작가는

제대로 돈을 받지만, 세트 설치 인부는 그렇지 못한 것이 종합예술이자 종합노동판인 영화계 현실이다. 트럼보는 부르주아 작가여도 현장 노동자와 연대하며 투쟁하는 양심적 인물이다. 그러나 그런 프락시스를 나라 말아먹는 반역자로 몰아 마녀사냥 하는 것이 당대 메카시즘의 풍경이다.

가장 비싼 작가 트럼보를 블랙리스트 '빨갱이' 로 몰아도, 그가 써내는 각본의 해피엔딩이 관객에게 잘 먹히는 장점을 간파한 MGM의 루이스 B. 메이어는 당대 스튜디오 거장답게 3년 그와 전속계약을 한다. 그러나 상황은 만만치 않다. 가십 칼럼으로 일가를 이룬 배우 출신 칼럼니스트 해다 호퍼는 3천 5백만 독자를 내세우며 메이어에게 압박을 가한다. 메카시즘을 몰아붙이는 중요한 순간마다 이렇게 등장하는 해다는 꽃과 과일, 깃털로 장식한 큰 모자를 매일 갈아 쓰며 요란스럽게 화려한 분위기로 애국을 빙자한 사상 검열의 권력을 상징해낸다.

트럼보는 1947년에 청문회에 불려 나가지만, 대법원에 진보적 판사가 5:4로 다수이기에 소송비용이 상당히 들어도 이길 것이라고 낙관하며 투쟁의 연대감에 불을 지른다. 그러나 예상과 달리 진보적 판사의 사망으로 상황이 꼬이면서 그는 1년간 감옥생활을 하게 된다. 감옥에서도 작가로서 그의 남다른 관찰력은 입증된다. 죄수들과 함께 참여한 프로파갠더 영화 상영장에서도 죄수들의 반응을 꼼꼼히 관찰하는 그의 모습은 출소 후 즉각 발휘된다. 세 자녀를 거느린 가장으로서 경제적 책임감은 이제 하루 18시간 이상 시나리오 쓰기로 구체화된다.

최고의 고료를 받던 작가는 이제 B급 제작자인 프랭크 킹의 요구에 따라 싼 값에 마구 써낸다. "막 출소했으니 범죄물은 어떻습니까"라고 제안하는 그에게 몸체만큼이나 크게 호언장담하는 프랭크는 "그런 영화는 너무 많아", 라고 핀잔을 준다. 그건 "언제나 돈이 되니까요", 라는 것이 트럼보의 명답이다. 이렇게 따낸 작업이 잘돼 일이 넘쳐나자 트럼보가 5명이 필요하다는 탄식이 나올 지경에 이른다. 이제 그는 생계가 어려운 동료 작가들을 조직해 시나리오 쓰기를 나눈다. 딸의 16세 생일날도 엄청 마감에 쫓긴 그는, 생일케익을 나누는 짧은 여유조차도 거부한다. 그러자 가족이 뭐냐고, 분노를 폭발시키는 그는 가족해체 위험을 감수하면서까지 홀로 시나리오를 써낼 환경을 만들어낸다. 그 해결책은 욕실에 칩거하며 쓰는 것이다. 그는 반신욕 자세로 욕조에 판자를 걸치고 그 위에 타자기를 놓고 위스키와 줄담배, 때론 각성제를 먹으며 쓰고 또 쓴다. 수차례 등장하는 이런 모습은, 필자의 영화보기 경험상 가장 지속적으로 노출된 실존적인 남성의 몸으로 글쓰기 장면인 셈이다. 컴퓨터 글쓰기라면, 두서차례 마우스 클릭으로 해결될 작업이건만, 아날로그 시대답게 그는 영감이 떠

오르면 가위로 종이 한 부분을 오려내 다른 쪽에 스카치테이프로 붙여가며 글쓰기 몽타주 편집을 병행하기도 한다. 허리가 아프기에 또 홀로 있을 수 있기에 따뜻한 욕조에 눕듯이 앉아 정신없이 타자기를 두드리는 모습은, 그가 순간순간 던지는 명대사와 더불어 영화보기에 웃음을 선사해준다. 좋아서 웃는 것이 아니라 아파도 웃을 수 밖에 없는 코미디 미학의 생성이다. 〈오스틴 파워〉등의 코미디를 연출하며 보여줬던 제이 로치 감독의 코믹소 생성 기질이 제대로 발휘된 셈이다.

〈로마의 휴일〉의 원작이 거래되는 순간도 흥미롭다. 트럼보가 '공주와 평민' 이란 제목으로 써낸 이 각본에 이름을 빌려준 대명작가 이안 맥켈란 헌터와 거래하는 현장이 바로 그렇다. 이안은 제목을 '로마의 휴일' 로 즉각 바꿔버린다. (아침을 얻어 먹으려고 동반했던 것일까?) 동석한 그의 어린 딸도 그게 더 멋지다고 한 표 던지고, 〈로마의 휴일〉로 제목이 확정된다.

바로 그 작품이 1953년, 아카데미 각본상을 수상하지만 대명작가 이안

은 양심수술까지 한 것은 아니기에 수상식장에 나가지 않는다. 그 후 빛나는 황금 트로피를 전해 주려고 찾아온 이안에게 트럼보도 그 상패 소유를 거부한다.(결국, 1976년 트럼보가 세상을 떠난 후 원작자로 밝혀졌고, 영화예술과학아카데미가 이를 반영해 1993년 트럼보에게 다시 아카데미 트로피를 수여한 것이 사상통제의 흑역사이다)

트럼보의 부르주아지 삶을 비판하면서 논쟁을 벌이는 동료 작가 알란과의 관계도 흥미롭다. 생계용 글쓰기와 병고에 지친 두 작가는 축 처진 상태에서 논쟁을 벌인다. 〈외계인과 농장소녀〉에서도 외계인 노동권을 보여줘 구박을 받은 트럼보에게 알란은 묻는다. "훌륭한 것들을 쓰던 시절이 그립지 않아?" 라고. 멕시코 투우 소년 이야기가 걸린다며 떠올린 트럼보는 결국 〈브레이브 원〉을 '로버트 리치' 란 가명으로 써내 아카데미 각본상을 수상하며 블랙리스트가 막을 내리는 계기를 제공하기에 이른다. 그 작품을 떠올릴 때, 두 작가가 나눈 대화 중 "글로 써보면 알겠지"라는 대사는 글쓰기의 마력을 느끼게 해준다. 그 대화를 나눴던 알란은 폐암을 앓기에 쿨럭쿨럭 기침하면서도 줄담배를 태우며 검열 권력에 맞서 싸우다 인생길을 마감한다. 그리고 그가 남기곤 간 빚은 트럼보가 갚아주며 강한 우정의 연대를 증명해낸다. 이들의 관계처럼 텍스트를 감싸고 도는 재즈 사운드트랙은 당대 음울한 분위기를 조성하면서, 노예로 끌려간 흑인의 아픔을 먹고 피어나는 예술 에너지의 홍취를 전해주면서 영화보기에 듣기의 맛을 더해준다.

유 지 나 _ ginarain8@gmail.com

영화 평론가. 파리7대학 기호학과 문학박사(영화기호학). 저서로 『유지나의 여성영화산책』 『한국영화, 섹슈얼리티를 만나다』(공저) 등이 있음. 동국대학교 영화영상학과 교수.

스티브 맥퀸 감독

헝거

감독/ 스티브 맥퀸
출연/ 마이클 패스벤더, 리암 커닝햄
스투어트 그레이엄, 브라이언 밀리건
리암 맥마혼, 프랭크 맥커스커,
레러 로디, 데스 맥알리어
각본/ 스티브 맥퀸, 엔다 월쉬
촬영/ 숀 밥빗
음악/ 레오 에이브러햄스, 데이빗 홈
편집/ 조 월커

영화는 '목숨을 건 단식' 이라는 논쟁적인 사건을
절제된 시선으로 다룬다.
1부에서 영화는 자신의 정치적 지위를 박탈한 영국에 항의하기 위해,
'헐벗은 몸' 을 극한으로 밀어붙이는 수감자들의 모습을 보여준다.
2부에서 영화는 목숨을 건 단식을 둘러싼 상반된 견해를
박진감 있게 충돌시킨다.
3부에서 영화는 죽어가는 보비 샌즈의 몸을
정제된 시선으로 비춘다.
카메라는 보비 샌즈의 눈을 대신하는가 하면,
어느새 그의 내면을 조용히 비춘다.

— 추천위원의 선정이유 中

신념을 위해 죽어가는 이의 몸

— 스티브 맥퀸 감독 〈헝거〉

황진미

〈헝거〉는 한국에서는 2016년에 개봉했지만, 2008년에 만들어진 작품이다. 〈노예12년〉을 통해 이름을 알린 스티브 맥퀸 감독의 장편 데뷔작으로, 칸 영화제 황금카메라 상을 받았다. 영화는 1981년 북아일랜드의 보비 샌즈가 옥중단식으로 사망한 사건을 그린다. '목숨을 건 단식' 이라는 역사적이고 논쟁적인 사건을 다루면서, 영화는 대단히 절제되고 다층적인 시각을 통해 깊은 성찰을 보여준다. 영화는 관객의 감정을 착취하거나 사건의 숭고함에 대해 주장하지 않는다. 다만 지난한 '몸의 투쟁' 을 면밀히 비춤으로써, 숭고함에 육박해 들어가는 실존의 경지를 보여준다.

1. 아일랜드 단식 투쟁

영화는 "1981년 북아일랜드"라는 자막과 함께, 1969년 이후 분쟁 중

2187명이 희생되었고, 영국정부는 준군사행위자의 정치범 지위를 인정하지 않고 있으며, 메이즈 수용소 안의 공화주의자들이 담요시위와 샤워거부에 나섰다는 내용을 자막을 통해 알린다. 그리곤 냄비를 부딪히는 강렬한 소리로 항의하는 소녀의 얼굴을 보여주며 영화를 시작한다. 영화가 다루는 사건을 이해하기 위해 북아일랜드 투쟁에 대해 먼저 살펴볼 필요가 있다.

오랫동안 영국의 지배를 받던 아일랜드는 20세기 초의 독립운동을 거쳐 1949년에 독립하였다. 그러나 영국에서 건너간 신교도들이 많이 살고 있던 북아일랜드 지역은 독립에서 제외된 채, 영국 내 자치지역으로 남게 되었다. 북아일랜드 지역에서는 신교도들이 구교도들을 차별하는 문제로 갈등을 빚어왔는데, 1968년에 구교도들의 평화시위를 영국이 군을 동원해 강경 진압하는 일이 벌어졌다. 이후 시위가 점차 격해지면서, 1972년에는 시위중 발포로 구교도 13명이 사망하는 '피의 일요일' 사건이 일어났다.

이후 북아일랜드가 영국에서 독립하여 아일랜드공화국과 통일을 이루어야 된다고 주장하는 무장 세력인 IRA(아일랜드 공화국군)가 개입한다. 북아일랜드에 '공화주의운동' 이 일어나면서, 무장게릴라투쟁이 벌어지자, 영국은 1974년에 북아일랜드 자치정부를 무너뜨리고 직접통치에 나섰다. 당시 북아일랜드는 내전에 가까운 상태였는데, 십여 년간 2천명이 넘는 사망자가 발생하였다.

1971년에 영국정부는 계엄성격의 수감정책을 내놓아 4년간 약 2천명을 재판 없이 잡아들여 수용소에 구금했다. 처음에 영국정부는 이들을 죄수로 취급했지만, 국내외의 거센 반발에 부딪히자 1972년부터 이들에게 전쟁포로에 준하는 정치범 신분을 부여했다. 이들은 죄수복도 입지 않았고 노역에 동원되지도 않으며, 준군사조직으로 인정하여 정치이념을 학습하는 것도 허용되었다. 하지만 1976년에 영국정부가 이들의 특수신분을 철폐하는 조치를 취하면서, 이후 들어오는 수감자들에 대해 일반 죄수와 똑같이 범죄자로 취급하겠다는 정책을 발표하였다. 수감자들은 즉각 반발하면서, 자신들을 계속 정치범으로 대우할 것을 요구하며 투쟁에 돌입했다. 1976년 IRA 소속의 수감자 수백 명이 죄수복 착

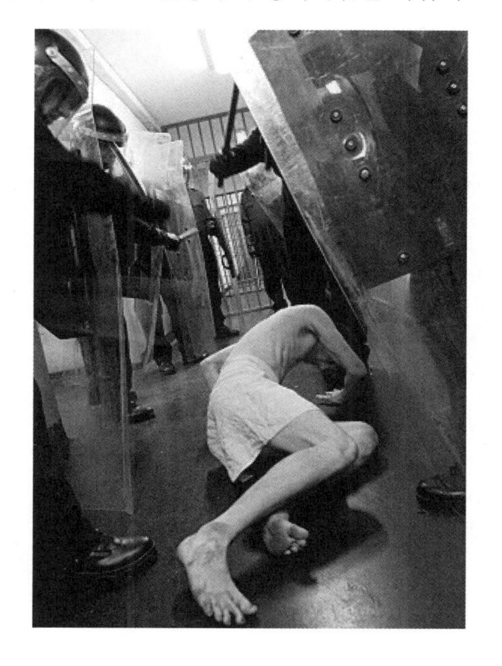

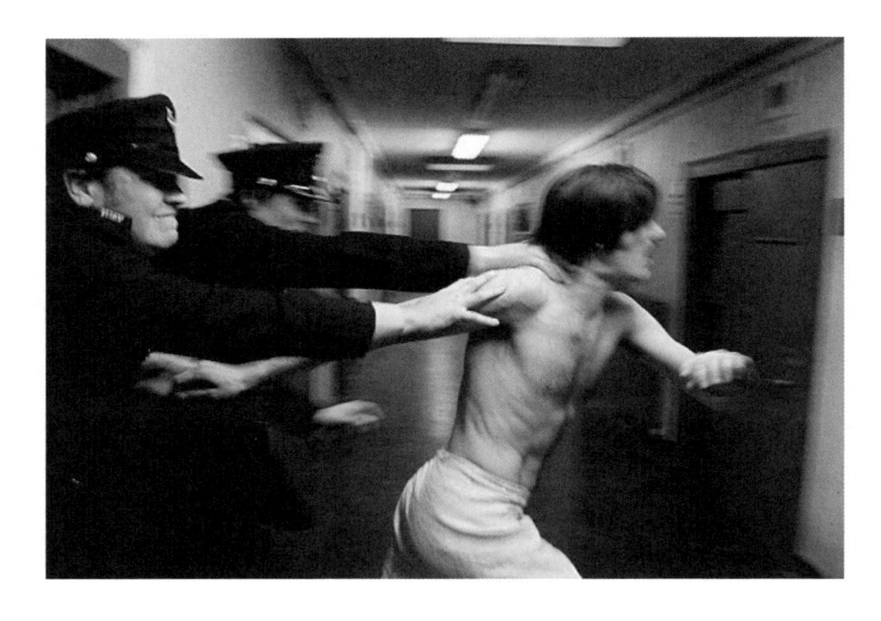

용을 거부하는 의미에서 알몸에 담요만 걸치고 생활하는 '담요 투쟁'을 벌였다. 영국정부가 죄수복을 입지 않으면 화장실을 못 쓰게 하는 것으로 대응하자, 1978년에는 수감자들이 감방 벽에 똥을 바르고 복도에 오줌을 흘려보내며 목욕을 거부하는 '불결투쟁'을 벌였다.

하지만 이러한 투쟁에도 불구하고 영국정부는 이들의 요구를 묵살했다. 수감자들은 1980년에는 1차 단식투쟁을 벌이며, 53일간 단식을 이어간다. 영국정부가 죄수복은 아니지만 사복이라고 할 수 없는 옷을 입게 하는 기만적인 정책을 펴자, 수감자들은 1981년에 2차 단식투쟁을 벌인다. 보비 샌즈를 비롯한 수감자들이 시간차를 두고 단식에 돌입하여, 10명이 순차적으로 사망하였다. 목숨을 건 2차 단식투쟁은 대중들에게 큰 반향을 일으켰다. 보비 샌즈가 단식 40일에 접어들 때 치러진 하원의원 보궐선거에서 옥중 당선되었으며, 단식 66일 만에 사망한 보비 샌즈의 장례식에는 10

만 여명의 군중이 운집하였다. 또한 한 달 후 치러진 아일랜드 총선과 북아일랜드 지방선거에서 북아일랜드의 독립을 주장하는 '아일랜드 공화주의'를 표방하는 정당이 큰 지지를 받았다. 이후 영국 의회는 수감자의 옥중 출마를 금하기 위해 서둘러 선거법을 개정하였다.

2. 가해자에게 주목하는 이유

〈헝거〉가 불결투쟁과 목숨을 건 단식투쟁을 보여주기 위해 취한 방식은 독특하다. 영화는 세 단락으로 나눠질 만큼, 시각과 톤을 달리하는 시퀀스들을 하나의 영화로 통일시키는 방식을 채택하였다. 또한 한 단락 안에서도 다층적이고 다각적인 시각이 공존하는 방식을 취하여, 사건에 대한 풍부한 해석을 담고 있다.

영화는 담요투쟁과 불결투쟁을 보여주는 1부, 단식투쟁을 결심한 보비 샌즈와 가톨릭 사제 간의 대화를 담은 2부, 단식으로 죽어가는 보비 샌즈를 그린 3부로 나뉜다. 각각의 단락은 그 자체로 하나의 단편영화처럼 보이기도 하지만, 세 단락이 분절점 없이 유연하게 편집되어 있어 마치 변조곡을 듣는 것 같은 느낌을 자아낸다.

영화는 초반에 교도관을 주인공처럼 비추고, 진짜 주인공인 보비 샌즈를 한참 나중에 조연처럼 등장시킨다. 이것은 장르영화에서 흔히 취하는 방식이 아니다. 영화가 비관습적인 방식을 채택한 것은 이유가 있다. 그것은 보비 샌즈를 영웅으로 그리거나 IRA를 단순한 희생자로 그는 것을 막기 위함이다. 즉 보비 샌즈가 혼자 단식투쟁에 돌입한 것이 아니라, 그 전에 이미 담요투쟁과 불결투쟁을 함께 해왔던 다른 수감자들이 있었고, 보비 샌즈는 그러한 투쟁을 이어간 사람 중의 한명이었음을 알게 하는 것이다.

영화가 보비 샌즈와 함께 투쟁하던 사람들뿐 아니라, 교도관이나 경찰 특공대에 대해서도 카메라를 비추는데, 이는 사건에 대한 다각적인 시각을 갖게 하기 위함이다. 영화가 시작되면 한 남자가 반지를 빼고 끼우거나, 상처 난 손을 반복해서 씻는 모습을 보여준다. 관객은 그가 무엇을 하는지, 이 장면이 무슨 의미를 지니는지 알기 어렵다. 그가 자동차 바퀴 밑을 확인하고서 차에 오르고, 그 모습을 가족이 창문으로 지켜보는 장면은 묘한 긴장을 자아낸다. 관객은 이어지는 장면을 통해 그가 청결과 안전에 집착하는 태도가 사실은 끔찍한 폭력의 반대급부임을 알게 된다. 메이즈 수감소의 교도관인 그의 손에 난 상처와 셔츠의 젖은 얼룩은 불결투쟁 중인 수감자를 붙잡아 고문에 가까운 방식으로 씻기다가 얻은 것이다. 차 밑을 확인하는 행동도 테러에 대한 공포 때문이다. 교도소 담벼락에 기대어, 회한에 찬 듯 담배를 피우는 그의 모습 역시 강렬한 폭력의 여운을 식히는 중이었다. 영화는 그가 요양원의 노모 앞에서 총에 맞아 죽는 장면을 보여주는데, 이 장면은 굉장한 당혹감을 안긴다. 정갈해보이던 손 씻기가 엄청난 폭력의 상흔을 씻는 것이었듯이, 꽃을 들고 노모를 방문하며 평온한 시간을 갖던 그가 IRA에게 보복 총살을 당한다. 평온한 일상과 격렬한 폭력이 종이장도 없이 직접 맞붙어 있는 듯한 끔찍한 느낌이다.

영화는 수감자들에게 가혹행위를 하는 교도관의 처연한 일상을 비추는 것은 물론이고, 비인간적인 진압작전에 투입된 경찰특공대 중에서 혼자 옆으로 떨어져 어쩌지 못하는 대원의 고통스러운 얼굴을 담는다. 하지만 영화가 가해자들에게 동정적인 시선이나 섣부른 감정이입을 통해 피해자와 가해자를 뒤섞어버리는 우를 범하진 않는다. 이러한 영화의 태도를 단

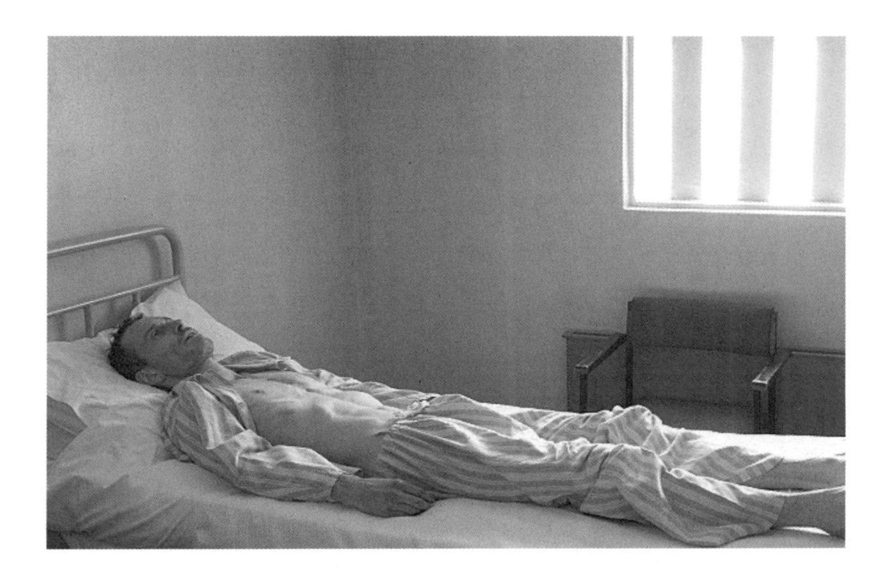

적으로 볼 수 있는 것이 교도관의 총격장면이다. 실제로 많은 교도관들은 IRA에게 보복 살인을 당했는데, 영화는 이러한 사태를 건조하고 객관적인 시선으로 표현한다. 교도관은 IRA에게 총살을 당할 정도로 잔혹한 가해자인 것이 맞고, IRA 역시 무고한 피해자들이 아닌 저항하는 무장 세력들이었음을 분명히 하는 것이다. 메이즈 수용소에서 저항하던 수감자들의 요구 역시 자연인으로 살 권리가 아니라, 영국이라는 국가와 전쟁을 벌이다 체포된 포로로 대해 달라는 것이었다.

3. 논박하지 않고 압도해나가다

영화는 16분에 달하는 롱 테이크 장면을 통해 보비 샌즈와 가톨릭 사제의 일대일 토론을 담는다. 이 토론은 '목숨을 건 단식투쟁' 을 두고 벌이는 찬반의 시선을 압축해서 보여준다. 영화는 이 장면을 통해 보비 샌즈를 일

방적으로 영웅시하는 것이 아니라, 팽팽한 긴장 속에서 여러 논점을 벼려내며 중립적이고 성찰적인 태도를 유지한다. 보비 샌즈에게 소영웅주의가 아니냐고 물으며, 자신의 자리에서 열심히 살아가는 사람들을 보라는 신부의 말은 매우 익숙하게 다가온다. 보비 샌즈는 이러한 신부의 말을 굳이 논박하지 않지만, 자신의 단단한 신념을 흔들림 없이 견지하는 태도를 보이며 신부를 압도해 보인다.

영화는 후반부를 통해 죽어가는 보비 샌즈의 몸을 정제된 카메라의 시선으로 비춘다. 카메라는 보비 샌즈가 툭 튀어나온 갈비뼈를 낯설게 만져보는 손길을 담담히 비추고, 욕창이 난 피부에 연고가 닿을 때 움찔거리는 근육의 미세한 떨림을 클로즈업해 보여줄 뿐, 감정을 드러내지 않는다. 죽음 직전의 그를 어머니가 만나는 장면에서도 영화는 감정을 절제한다. 그의 눈을 대신해 어머니를 바라보던 카메라는 그와의 눈 맞춤을 통해 그의 내면으로 들어간다. 영화는 어린 시절 신교도가 개최하는 크로스컨추리

전국대회에 출전하여 숨이 턱까지 찼던 빛나는 순간에 그의 임종을 겹쳐 놓는다. 죽어가는 몸을 전시하며 신파적인 감정을 끌어내는 것이 아니라, 죽어가는 그의 내면을 조용히 들여다보도록 하는 것이다.

영화는 라디오 소리를 통해 이들의 단식투쟁에 대해 언급하는 대처수상의 육성을 들려준다. "폭력을 자신에게 돌리고, 동정심에 호소함으로써 긴장과 비난과 증오심을 일으킨다" 며 비난하는 대처의 말에 대해 영화는 이를 반박하는 보비 샌즈의 말을 들려주지 않는다. 다만 죽어가는 보비 샌즈의 몸과 그의 흐려지는 의식 속 가장 행복했던 시간에 들이마셨던 공기를 한모금 보여줌으로써, 숭고함을 폐부 깊숙이 들이쉬게 한다.

정치적 주체로 인정받지 못하고 '헐벗은 몸'으로 취급당하는 억압에 맞서, '헐벗은 몸' 을 극한으로 밀어붙이는 투쟁을 통해 비로소 정치적 주체로 죽을 수 있었던 인간의 신념은 얼마나 아름다운가!

황 진 미 __ chingmee@hanmail.net

이화여대 의대 졸업. 연세대 보건학 박사 수료. 진단검사의학 전문의. 2002년부터 《씨네21》을 비롯한 각종 매체에서 영화평론가로 활동.

영화 <동주>의 이준익 감독 대담

필름메이커로서 예술보다 더 중요한 건 약속

대담자: 전찬일(영화평론가, 본지 기획위원)

일시: 2017년 2월 20일 오후 4시 **장소:** 쿨투라 북카페

사진: 김이하 **정리:** 정여진, 이창원

〈동주〉 선정, 〈나 다니엘 브레이크〉 선정과 유사한 맥락

전찬일(이하 전): 먼저 축하드립니다. 『2017 '작가'가 선정한 오늘의 영화』에서 최고의 한국 영화로 〈동주〉가 선정된 것에 사실 놀랐습니다. 저는 〈동주〉를 줄곧 지지해왔습니다만 〈곡성〉이나 〈아가씨〉나 〈밀정〉 등의 다른 영화들을 제치고 〈동주〉가 가장 많은 득표를 하리라고는 예상하지 못했기 때문이죠. 그래 굉장히 반가우면서도 좀 의외라는 생각을 했는데, 어떠신가요? 전화를 받고 당연하다고 생각하셨습니까?

이준익(이하 이): 아니요. 의외죠. 그리 많은 관객이 들었던 영화도 아니고, 물론 적게 본 것도 아니지만, 아마 문화글을 다루는 잡지 《쿨투라》 등을 내는 출판사의 속성상, 윤동주 시인에 대한 존중으로 〈동주〉가 선정된 것이 아닐까 생각하네요.

전: 꼭 그렇지 않은 게 '오늘의 영화'의 설문에 응한 분들은 도서출판 '작가'를 알긴 알겠지만, 크게 의식하지는 않았을 거예요. 그렇다면 영화 평론가만이 아니라 문화 평론가 등 문화 전반의 전문가들이 참여해서 나온 결과라고 생각해볼 수 있을까요? 영화 평론가나 영화 기자로만 한정했으면 나오기 힘든 결과인데, 문화 분야의 전문가들이 참여해서 나온 결과라고 생각해볼 수 있을 것 같네요. 그런데 과거 사례들을 보면 다른 데서의 선정과 '오늘의 영화'의 선정이 큰 차이는 나지 않았었죠. 게다가 〈사도〉는 영평상에서 최우수작품상 등을 받았지만, 〈동주〉는 2016년 영화상들에서는 그리 두드러진 성과를 올렸다고 보기는 어려

웠거든요.

이: 그러게요. 〈사도〉는 해외 영화제에서도 인정을 받고 그랬는데, 〈동주〉는 그렇지 않았죠.

전: 사실 지난 해 부일 영화상(부산일보 영화상)에 심사위원으로 참여할 때도 작품상 최종 후보에 〈동주〉가 아니라 〈사도〉가 올라와서 개인적으로는 의아해 했었는데, 그런 의미에서 〈동주〉의 이번 선정은 의외의 면이 없지 않은 결과이긴 합니다. 마침 올해 2017년은 윤동주 시인 탄생 100주년이라 이번 선정이 더 특별한 의미가 있을 테고요. 그런가 하면 외국 영화 중에서는 〈라라랜드〉가 아닌 〈나, 다니엘 블레이크〉가 최우수작으로 선정됐는데, 〈동주〉와 〈나, 다니엘 블레이크〉는 어울린다

고 할 수 있겠죠. 아무래도 시대적 분위기도 좀 작용하지 않았나 싶네요.

이: 저도 〈나, 다니엘 블레이크〉를 수입한 김난숙 대표가 홍보를 부탁해서 봤죠. 켄 로치 감독이 노장성을 과시하며 칸영화제에서 상도 받았는데, 사회파, 좌파 계열의 노장의 영화가 갖고 있는 다양한 요소 중에서 영화의 사회성을 역설하는 영화 〈나, 다니엘 블레이크〉로 칸에서 최고상인 황금종려상을 받았다는 것은 의미가 크다고 봅니다. 감독이 예전부터 찍어왔던 영화들의 일관된 주제와 이념 즉, 80대 노장이 노동자의 삶의 가치에 대해, 특히나 인간의 관계성에서 회복할 수 있는 신뢰, 믿음, 희망 그리고 고통에 관해 다루는 자세는 정말이지 국내 영화계에도 뿌리가 내려져야 할 그 무엇이 아닌가 합니다. 그 대표적인 롤 모델이 바로 〈나, 다니엘 블레이크〉 같은 게 아닐까요. 뭐 미국의 클린트 이스트우드가 보수의 아이콘이라면, 켄 로치는 좌파의 아이콘이죠.

전: 클린트 이스트우드가 보수의 아이콘인 건 맞는데, 괜찮은 보수, 건강한 보수죠?

이: 보수라고는 하지만 도덕적 건강성을 유지하고 있기 때문에 우리나라 우파 보수하고는 전혀 다르죠.

전: 또 켄 로치 같은 경우에도 좌파이긴 하나, 좌파들에겐 심장이 결여된 경우도 많은데, 켄 로치는 그런 점에서 심장을 지닌, 아주 정서적인 감독이죠.

이: 영국의 산업혁명을 발생시킨 노동자 계층에 대한 대변자로, 정치적 성향으로는 좌파라고 할 수 있겠죠. 그런데 세계관은 영국 산업혁명, 프랑스 혁명에 뿌리를 두고 있는, 그 어떤 시민정신이랄까요? 예를 들어 스페인 내전 과정의 아나키스트, 시민군의 이야기를 다룬 〈랜드 앤 프리덤〉 같은 경우를 봐도 그렇죠. 그런 일관된 세계관의 작가정신을 끝까지 지켜낸 건 켄 로치 감독 밖에 없다고 생각해요.

전: 네. 사실 저도 개인적으로 영화 역사상 위대한 다섯 명의 감독 중 한 명으로 켄 로치를 늘 가슴에 품어왔어요. 〈랜드 앤 프리덤〉은 개인적 의미에서도 어떤 터닝포인트가 되어준 작품이기도 하고요. 〈나, 다니엘 블레이크〉를 작년 칸영화제에서 보면서 정말 먹먹했죠.

이: 켄 로치 같은 경우는 영화 그 자체가 목적인 사람은 아니고, 영화란 그저 팔레트 같은 도구, 그 자신의 세계관과 가치관을 표현해 주는 도구일 뿐이죠. 그렇게 생각하는, 몇 남지 않은 감독 중 하나가 아닌가 해요.

전: 켄 로치 감독과 이준익 감독님과는 영화적 노선이 다르긴 한데요, 지금 그 두개의 키워드가 나왔습니다. 하나는 시민정신이고, 또 하나는 도구·팔레트로서의 영화. 그렇죠? 일전에 제가 진행했던 어떤 행사에서 영화를 '방편' 이라는 아주 인상적인 단어로 설명해주셨는데요. 한때 우리나라에서는 영화지상주의적인, 지금도 뭐 영화주의자들이 많이 있습니다만, 한때 영화가 목표가 아닌 사람은 영화에 대해서 말도 꺼내지 말라는 분위기가 형성돼 있던 시기가 있었죠. (누구라고 말은 않겠습니다만) 그때의 그 영화 지상주의 시대를 주도했던 영화 평론가는 지금도 맹활약 중입니다. 이 도구로서의 영화, 그것이 지닌 의미에 대해 조금 더 부연설명 해주셨으면 합니다. 도구로서의 영화가 왜 필요한지에 대해서요. 왜냐면 이게 오해가 될 수도 있기 때문에…

이: 클린트 이스트우드도 그의 정치관이나 세계관을 드러내는 수단으로 영화를 찍는다고 봐요. 영화 지상주의가 지닌 미덕이 영화 산업이나 영화 미학을 성장시킨 것은 분명해요. 영화를 어떤 하나의 장르화된 분야 안에서 그것의 미학적 가치라든가 그 어떤 새로운 세계에 문을 여는 실험 혹은 대중적 공감 이런 것에 대한 밀도를 높이는 게 영화 산업을 견인하는 힘이긴 하다는 거죠. 하지만 애초에 영화산업의 탄생이나 방향이나 그간 존재했던 다양한 영화를 다 포함해보면 역시 영화도 하나의 틀, 도구임에 틀림이 없어요. 시, 소설이라는 장르도 도구로서 역할을 해내듯이 영화도 하나의 표현양식 중 하나죠. 내용, 주제 그것이 무엇이냐가 더 우선하는, 일테면 How보다 What이, What 보다 Why가

우선하는 그런 작업이랄까요. 나 스스로는 그런 방향으로 영화 작업을 해왔다고 봐요. 실수를 많이 해와서 그렇지?!(웃음)

영화는 목적 아닌 방편

전: 그렇다면 이 '영화라는 방편'을 통해서 감독님께서 나가고자 하는 방향 내지는 지향하는 지점이 있다면, 그건 어떤 것일까요? 개인적인 성취도, 사회적인 성취도 있을 수 있고요.

이: 세상의 영화를 크게 할리우드와 반할리우드 영화로 나눈다면, 할리우드가 90% 정도의 마켓을 갖고 있다고 보고 나머지 10퍼센트의 영화들이 반할리우드나 제3세계 영화일 겁니다. 소시민 관객이 영화를 보면서 대리만족 수단으로 블록버스터의 영웅심에 환호하는 할리우드 영웅주의 영화가 있고, 이와는 다르게 반영웅주의적 표현 방식이나 주제의식을 지닌 것들은 반할리우드적이라 할 수 있겠죠. 켄 로치의 경우도 그렇죠. 반영웅주의에서도 갈래로 치자면 클린트 이스트우드의 경우 소시민의 정의를 웅변한다면, 켄 로치의 경우는 노동자 계층의 소외된 존재들, 그들이 추구하는 삶의 가치를 공감하고 공유하고 확장해야 한다는 그런 어떤 가치관에 매달리고 있어서 때로는 비상업적이고 반미학적이라 볼 수도 있거든요. 그렇긴 하지만 영화를 찍는 감독이나 작가 입장에서는 자기가 추구하는 방향성을 배반하기는 힘들죠. 좀 더 영화적 이윤을 추구하려는 욕심이 생겨서 자기의 방향과 안 맞는 걸 찍을 순 있겠지만 몸에 안 맞는 옷을 입는 것처럼 견디기 힘들어질 겁니다.

결국 감독의 기질과 성격의 문제겠죠.

전: 그래서 다시 한 번 질문하겠습니다. 영화라는 방편을 통해서 목적을 이룬다고 했을 때 개인적 층위가 있고 사회적 층위의 차원이 있을 텐데, 감독님은 굳이 나눠본다면 그런 것을 의식하면서 영화를 찍으시나요?

이: 의식하지 않아요. 의식한다고 정리되거나 정의되는 것도 아니고?

전: 결국 영화를 찍는다는 것은 사회적 의미겠죠.

이: 영화를 찍으려 첫 발을 내딛는 순간 누군가와 같이 사회성을 공유하지 않으면 한 장면도 찍을 수 없어요. 배우든 스태프든 투자자든 수많은 사회적 약속을 통해서만 영화 제작이 시작되는데, 그 사회적 약속을 형성하게 되는 개인의 의지, 그 개인의 의지와 가치가 무엇이냐에 따라 그 영화의 방향성이 생기는 거죠. 예를 들어서 요즘 국내 영화들 중 대부분은 영화 시장 내에서 사업적 성공과 대중의 시대 감성을 매치시켜서 큰 성과를 올리는 그런 것을 지향하는가 하면, 반대로 굳이 상업성을 지향하지 않고 개인의 가치를 내포시키는 좀 다른 방식을 추구하는 경우도 있잖아요. 독립영화 같은 경우들이 그렇죠. 그것도 역시 사회적 가치긴 해요. 어쨌든 출발점 자체가 다르기 때문에 이런 결과로 구분할 수 있을 거예요. 비상업적이지만 거꾸로 성공할 수도 있는 거죠. 그래서 시대감각과 영화적 성숙의 어떤 좋은 예가 될 수도 있어요. 헌데 나 같은 경우는 그런 것들은 다 빼고 영화의 '이야기'들에 대한 가치와 성실성

그런 부분을 알아주면 좋겠어요. 그 이상을 바라는 건 욕심이 아닐까요. 나이가 들수록 개인의 욕망을 조절할 수 있는 능력이 생기는 것 같아요.

필름메이커로서 예술보다 더 중요한 건 약속

전: 오늘은 아무래도 〈동주〉를 중심으로 대담이 진행될 거지만요, 감독님은 〈키드캅〉이란 영화로 데뷔했는데 그 영화의 처절한 실패로 10년 정도 연출을 쉬었고, 이후 〈황산벌〉로 감독으로서의 존재감을 환기시켰죠. 20년 이상을 나름대로 부침을 겪으면서 오늘날, 한국의 가장 중요한 감독 중 한 명으로 자리하게 된 거죠. 크게 보니까 감독님 영화들을 세 범주로 나눌 수 있을 것 같아요. 일단 〈황산벌〉부터 〈왕의 남자〉, 〈평양성〉에 이르는 역사 3부작을 포함한 수백 년 전의 시대를 다루는 역사물, 근현대사를 다룬 영화들, 그리고 나머지 현대물에 가까운 영화

들, 이렇게요. 하다보니까 이런 식으로 된 겁니까, 아니면 감독으로서 내 색깔은 이렇게 칠해야겠다, 이런 나름대로의 계획이 있어서 이처럼 구분이 가능하게 영화들을 만드신 건가요?

이: 계획은 없고 그냥 하다 보니 된 것 같아요. 내 인생에서 계획대로 된 게 별로 없어요. 계획을 세우는 때 실패의 과정이 많았어요. 그래서 지금도 "감독으로서의 명확한 자긍심이 있는가?"라고 물어보면 "없다!"고 말할 수 있어요. 왜나면 애초에 감독이 되고자 해서 된 게 아니고, 어찌하다 보니 얼떨결에 감독이 돼가지고… 딴 거 할 것도 마땅히 없고 해서 하고 있다는 이상한 생각을 갖고도 있어요.

전: 그런 말을 듣는 이들 중엔 불쾌해 할 사람들이 상당히 많을 거란 건 알죠? 왜냐면 누구는 목숨 걸고 해도 실패하는데, 그렇게 막 하는데도 천만 영화가 나오고?(웃음)

이: 아니에요(웃음). 사실은 나름 그들보다 목숨을 더 건다고 봐요. 감독도 감독이지만 제작자를 오래 해서 그래요. 내 정체성은 제작자 몇 퍼센트, 감독 몇 퍼센트라고 할 수 있느냐 하면, 글쎄, 7~80%는 제작자, 2~30%는 감독이랄까요? 이번에 찍은 영화 〈박열〉의 예산도 큰 예산이 아닌 26억이었습니다. 일본 내각과 감옥 등등을 배경으로 하는 어마어마한 세트들이 필요했는데 예산이 어떻게 26억으로 되는지 나도 신기할 정도인데, 제작자적인 설계와 약속을 중시해서 나온 영화라고 할 수 있어요. 내가 감독으로서 자격이 있나, 나도 잘 모르겠어요. 마케팅, 배

급업자, 수입업자, 감독도 다 해봐서 명확한 구분을 모르겠어요. 나는 '필름메이커' 일 뿐이죠.

전: 그러면 그 26억은 투자가 그렇게 밖에 안돼서인지, 아니면 감독님이 그렇게 정하신 건지?

이: 내가 정했어요, 예산은. 〈동주〉도 돈 더 쓰려고도 하다가 말았고. 난 더 이상은 안 써요. 내게 예술보다 더 중요한 건 약속이라고 생각해요. 이건 뭐 10년 전 〈왕의 남자〉 때 인터뷰를 하도 많이 해서 또 말하긴 그렇긴 한데, 사람과의 약속도 그렇지만 '돈' 과의 금전적 약속도 굉장히 중요하다고 봐요. 그걸 지키기 위해서 목숨을 거는 거죠. 목숨 걸고 장르를 만드는 것이 아니라, 목숨 걸고 돈과의 약속을 지키는 그런 이상하고 허접한 감독이죠, 나는(웃음).

전: 〈박열〉은 이준익 감독이 제작자와 감독 입장에서 예산과의 약속

에 부응하려 애쓰며 만든 영화다? 그러면 자연스럽게 클린트 이스트우드가 생각나는데요. 그 감독이 그렇게 영화를 찍는다잖아요. 이스트우드는 심지어 예산을 남긴데요. 괜히 클린트 이스트우드를 좋아하고 그런 게 아니었겠네요.

이: 나도 남겼어요(웃음).

전: 나이 차이는 30년 가까이 나지만 한국의 클린트 이스트우드를 꿈꾸시는 건가요? 뭐, 나쁜 의미는 아니고요. 혹시 롤 모델인 감독이 있는지요?

이: 존경하는 감독은 많죠. 켄 로치 등등, 영감을 얻은 감독이나 좋아하는 감독들은 뭐, 한 500명 되겠지만(웃음) 딱히 롤 모델은 없어요.

윤동주는 '시인' 이전에 '시민'
동주 탄생 100주년에 맞춰 서둘러 작업

전: 〈박열〉은 올해 8월 개봉한다고 하니, 기대하겠습니다. 다시 영화 〈동주〉로 넘어가겠습니다. 한 마디로 단정하긴 어렵겠지만 '시민정신' 에 대해 말씀하셨는데, 〈나, 다니엘 블레이크〉로 대변되는 켄 로치의 영화에서 감지되는 시민정신, 큰 의미의 시민정신을 영화 〈동주〉에서 끌어낼 수 있겠네요.

이: 〈나, 다니엘 블레이크〉는 시스템에 대한 부조리를 끄집어내는 것,

그 자체보다는 시스템에 내재된 모순에 걸려든 사람들, 건강 진단을 받는 노인, 애들을 키우고 있는 이혼녀가 스스로의 양심을 배반할 수밖에 없는 시스템에 걸려 자학할 수밖에 없는 구조를 그렸잖아요. 끊임없이 구조의 문제를 다루고 있다는 거죠. 〈동주〉같은 경우는 일제 식민지 시절 10년간의 이야기를 그리고 있는데, 식민 시기를 전기와 중기, 후기로 나누면 후기 중 가장 중요한 인물이 동주라고 봐요. 1919년 3·1운동 이전까지의 식민지 전기 중 가장 위대한 인물은 당연히 안중근이라 할 수 있고요. 유관순의 1919년 3·1만세운동을 기점으로 중기로 넘어가고 1932년에 만주사변이 일어나는데 이 만주사변 이후가 후기로 분류되죠. 후기 이후부터는 조선어말살정책과 창씨개명이 있었는데 바로 이 사건들의 가장 핵심적인 비극적 인물이 윤동주라고 본 것이죠. 윤동주는 시인 그 이전에 시민이었죠. 그와 동시대에 태어난 사람이 박정희로 1917년 생, 동갑이에요. 올해가 박정희와 윤동주 둘 다 탄생 100주년이죠. 내가 〈사도〉 작업 들어갈 때 부랴부랴 이 영화를 찍었던 이유 중 하나가 뭐냐면, 지금 안 찍으면 윤동주 100주년에 영화적 결과가 없으면, 박정희 100주년이 일방적으로 주목 받을 수밖에 없다고 생각했기 때문이기도 해요. 박정희 전 대통령의 옳고 그름을 떠나서요. 윤동주 삶의 행동과 선택의 길이 있고 박정희 삶의 행동과 선택의 길이 있죠, 이 두 가지 태도가 공존하는 게 지금 대한민국의 현재라고 해도 될 거예요. 그런데 그 두 가지 가치가 잘 상존해야 세상을 보는 가치관이나 세계관이 균형 잡힐 수 있지 않을까, 하는 생각을 했던 거죠. 어제도 메가박스에서 윤동주 탄생 100주년 기념 상영 후 GV를 했는데, 다시 말하자면 '오늘의 영화' 최고작으로 〈동주〉가 선정된 건 영화를 잘 만들고 못 만들고의 문제라기보다는 시대정신과 시대감성이 크로스된 결과가 아닌가 싶어요. 현실과 교차되는 지점의 윤동주 100주년, 그런 것들?

〈동주〉, 해외에서의 성취

전: 〈동주〉의 일본 개봉 일정은 아직 정해지지 않았나요?

이: 올 여름에 잡혔다고는 들었어요. 여기저기서 부분적으로 상영을 하고 있다고는 해요.

전: 아시겠지만, 지난해 12월 초 〈동주〉 관련 릿교대 행사에 갔었죠. 아쉽게도 감독님은 못 가셨는데, 대신 (〈동주〉 제작자이면서 시나리오 작가인) 신연식 감독이 갔잖아요. 팝페라 가수 김선희씨도 함께 가서 〈동주〉 OST '자화상'을 부르는 등 미니콘서트도 가졌죠. 고등형사 역의 김인우씨도 마침 동경에 있어 함께 했는데 오전 10시부터 오후 6시 이후까지 진행된 그 행사는 정말 좋았고 대성공을 이뤘죠. 그 때 행사를 기획 · 진행한 교수는, 행사를 마련해줘서 감사하다는 메일을 재일 교포 및 현지인들로부터 수없이 받았다고 전해왔습니다. 그 행사는 그 교수 개인 돈과 학생들이 보탠 돈으로 추진한 건데, 그 행사를 통해 윤동주 100주년을 제대로 기념하는 행사를 본격적으로 하기 위해 일부러 공금을 쓰지 않았다고 하더군요. 현장에서 같이 영화를 보는데 교포들은 물론 일본인들도 영화를 집중해 봐서 내심 놀랐죠. 한 편의 영화가 이룰

수 있는 성취가 그렇게 큰 건가, 싶을 정도로 놀랐습니다.

이: 이것도 영화 외적인 얘기인데, 영화가 도구라는 사실을 증명시켜 주는 예일 겁니다. 뉴욕에서 〈동주〉를 상영했는데 끝나자마자 어떤 아주머니가 다가오셔서는 영화가 좋다고 정말 좋았다고, 이 미국 시인의 시를 아느냐며 시집을 주더군요. 한 40년은 묵어 보이는 책이었어요. 어떤 남성은 뉴욕에 있는 대학에서 영어를 가르치는데, 이제부터는 윤동주 시를 강의 필수 작품으로 가르치겠다고 하더군요. 그 분들은 이 영화를 통해 한국의 시를 처음 접한 거죠. 〈동주〉라는 영화를 통해 한국 아시아 조그만 나라의 7~80년 전의 시에 마음이 움직인 거죠. '시詩' 도 '시' 지만, 그 시대의 '시대적 공기' 에 대해 많이 공감하더군요. 조선어 말살, 창씨개명 등과 같은 사건들, 시가 태어나게 된 삶의 배경과 시가 함께 전달되니까 시 이상의 어떤 감흥이 있는가 보더군요.

전: 〈동주〉도 그렇고 〈귀향〉도 그렇고 우리가 익히 잘 알고 있었던 배급의 중요성을 새삼 느낀 게, 꼭 상업적 이유 때문이 아니더라도 어떤 형식이든 소중한 영화들을 어떤 배급망을 통해서든 자꾸 노출시키는 기회들을 늘리면, 그러한 시도들 덕분에 도출되는 영향들이 있을 것이라는 거예요. 자연스레 영화를 접하게 되는 관객들도 많아질 거고요.

쿨투라처럼 영화를 컬처럴하게 분석,
의미부여하고 재구성해내는 접근이 필요

이: 배급의 문제는 뭐 아무리 강조해도 부족함이 없지만, 배급 시스템을 탓하는 것도 어찌 보면 좀 하수라고 볼 수도 있어요. 〈동주〉를 극장에서는 110여만이 봤죠. 그런데 영화라는 게 극장 스코어로 성과를 재단하는 시장 논리의 지배를 받고 있다고는 해도, IP TV 방영이나 인터넷 다운로드 등을 포함하면 사실상 〈동주〉를 300만은 본 것 같아요. 뭐 시간이 지나면 500~1000만, TV에서 한번 방영하면 2천만이 보게도 되는 거죠. 그러니까 극장 스코어 기준으로 한국 영화를 재단하는 우리의 방식은 영화를 너무 상업적 도구로만 보는 도식이죠. 《쿨투라》처럼 영화를 '컬처럴'(cultural, 문화적)하게 분석해내고 의미부여하고 재구성해내는 접근이 필요하다고 봐요.

전: 제가 배급을 강조한 건 큰 의미에서 영화를, 페이스 투 페이스로 소수의 관객들과라도 만나게 하는 것이 얼마나 중요한 것인가를 새삼 강조한 것이었고요. 그런 노력들을 계속 해야 한다고 생각해요. 올해 윤동주 탄생 100주년 기념행사를 릿교대학에서 할 건데 학과 측에서도 하고 싶은 대로 하라고 그랬대요, 지난 번 행사에 대한 반응이 워낙 좋아서 학과장이 올해는 원하는 대로 하라고 했다나요.

이: 릿교대학의 다카마쓰 교수라는 분은 실존인물인데 그 교수 관련 에피소드는 다 실화예요. 가공된 게 없어요. 다카마쓰 교수는 워즈워드 시를 동주에게 소개했고 실제로 조선인 학생뿐만 아니라 가난한 학생들을 불러서 쌀밥을 해주곤 했어요. 그래서 쌀밥 신을 일부러 찍었죠. 나중에 그는 나약한 지식인들의 비겁한 분위기에 반하는 정직한 위험인물로

시찰을 당했고, 결국은 굶어 죽었죠. 일본의 근대에 있었던 시민정신은 아나키즘이라 할 수 있는데, 그 분은 일본 아나키즘의 뿌리를 대변하는 인물이라고 할 수 있죠. 일본의 보수, 기득권층에 숨죽여 사는 다수한테는 굉장히 존경받아야할, 되새김해야 할 분 중 한 명이라고 봅니다.

전: 올해 행사는 함께 할 수 있겠죠?

이: 글쎄, 모르겠네요.

전: 올해 행사는 꼭 같이 가시죠. (윤동주가 다녔던) 도시샤 대학도 기념행사는 해야 하겠지만 릿교대학에서는, 앞서 언급한 이향진 교수라는 분이 윤동주 기념 운동에 적극적으로 나서고 계세요. 그처럼 사비를 들여서라도 신념있게 추진하는 사람이 필요한데 보통은 예산, 즉 돈 핑계로 안하지요. 다시 영화로 돌아가면, 사실 윤동주는 한국에서 가장 사랑받는 시인이지만 막상 그 속내를 자세히는 잘 몰랐는데 이 영화를 통해서 시가 탄생된 배경도 더 잘 알게 되었고, 거의 알려지지 않았던 송몽규라는 존재도 관련 인물로 소개돼 영화적 의미가 더 크다고 생각합니다. 나아가서 '특고' 형사, 그 형사를 통해서는 우리가 그간 늘 봐왔던 어떤 천편일률적인 일본인과는 다른 모습을 볼 수 있었는데요. 저는 특고의 캐릭터에 강한 인상을 받았고 감독님이 동주와 특고 두 인물 사이의 긴장된 구도를 통해 어떤 메시지를 전달하려는 게 아닌가라는 조심스러운 진단을 해봤습니다.

〈동주〉에서의 '특고' 캐릭터
일본, 조선을 '이이제이' 시키는 프레임에서 못 벗어나

이: 〈동주〉에서 나오는 '특고' 라는 일본 인물의 비정형성에 대해 말하면, 그는 과거 국내 독립영화를 만들 때 인물의 클래식한 '악', 그런 정형성에는 부합되지 않는 인물입니다. 그렇다고 그 비정형성을 크게 강조하지는 않으려 해, 동주의 상대역으로만 배치시켰죠. 영화 〈박열〉에서는 근대 일본의 아주 다양한 인물상들을 배치시켰는데, 〈동주〉에서는 특고 하나로 집약시킨 부분이 있어요. 본래 일본의 근대는 서구 문명을 급진적으로 받아들이며 아시아 내에서 우월적 지위를 형성하는 과정 속에, 자신들은 소위 문명국이라는 표현을 쓰면서 조선이나 중국을 상당히 폄하시켰어요. 영화 〈박열〉에도 그런 관련 대사들을 상당수 넣었어요. 일본이 자신을 문명국이라 주장하는 절대적 기준은 '법치국가' 라는데 있는 바, 일본의 헌법은 이토 히로부미가 독일 헌법을 가져다 참고해서 만든 거예요. 아시아에서 최초로 서양의 성문헌법을 국가 통치체계로 선행한 근대국가라는 스스로의 자부심이 있었기 때문에 동북아시아 수천 년 역사 속 전체주의와 왕권을 폄하하는 논리를 체계적으로 만들어갔던 거죠. 그 이론적 토대를 신봉하는 근대의 영웅주의 신봉자의 초상을 바로 이 '특고' 로 캐릭터화시킨 거죠. 그것의 반대 논리가 '서구문명을 흉내 내면서 1500년대부터 일본이 서양에 당했던 것에 대한 보상 심리로 다른 나라를 수탈하며 침략본성을 드러내는 일본의 야욕을 미화한 것이다' 라는 비판인데 우리는 주변 국가와의 정보 교환 부족으로 인해 말도 안 되는 수탈과 억압을 당했고 21세기에 들어선 이

후에도 균형 있는 정보에 관한 방향성조차 잡지 못한 거 같아요. 대표적인 예가 식민지 근대화론, 국정교과서 같은 건데, 이런 게 다 '이이제이以夷制夷' 당하고 있는 거라고 생각해요. 일본인들은 '친일'과 '반일'끼리 싸우게 하는 '이이제이', 그런 식의 제국주의 통치를 과거 일제 식민시기에 해왔고 그 패러다임이 72년이 지난 지금도 본질적 '적폐積弊'로 남아 있는 거죠. 난 이 적폐가 뿌리 뽑히려면 100년쯤 걸릴 거라고 봐요. 지금 현재의 이념 갈등이나 세대 갈등, 어떤 역사적 해석의 갈등은, 일본이 조선을 이이제이 시키는 프레임에서 아직도 벗어나지 못했기 때문에 일어나고 있는 거죠.

전: 지금 그러한 현상이 재현되고 있다?

이: 김기춘은 내가 봤을 때, 식민지 시대에 이이제이 당했던 우리나라의 마지막 실뿌리 중 하나인데, 그 사람이 뽑히면 거의 다 뽑히는 거죠. 그 잔뿌리들도 너무 많아 제거하는 데 한 15년은 걸리리라고 생각해요. 내겐 적어도 그것을 앞당기지 못했던 것에 대한 세대적 양심이 있어요. 작가들의 창의력 말살, 이게 다 정신적 에너지의 피해 사례죠. 이런 논리로 대들면 반대 논리가 튀어나온다는 걸 너무 잘 알고 있어서 논리보다는 작품을 통해서 시대적 분위기를 공유하려 했던 거죠. 그 노력이 〈사도〉가 될 수도 있고, 〈왕의 남자〉가 될 수도 있고, 때로는 〈동주〉가 될 수도 있겠죠. 그런 의미에서 〈동주〉도 어떤 팔레트로 작용했다 할 수 있겠죠.

전: 특고의 역할은 그런 의미를 상징하는 것이었군요. 특고가 주연으

로 설정되어 있음에도 불구하고 특별히 극중 이름 없이 그냥 '고등형사'로 등장해서 질문했던 거였어요.

이: 그 이유는 사실 고증 때문에 그런 거예요. 실제 동주는 교토에 있는 경찰서에서 취조 받아요. 영화적 시각에 따른 표현 때문에 영화에서는 수감소 안에서 취조 받는 걸로 되어있지만, 실은 특고가 갔을 때는 윤동주는 이미 수형을 살고 있기 때문에 설정이 말이 안 되죠. 픽션인 거죠. 영화적 리얼리티라는 허용 범위 안에 있기 때문에 가능한 거랄까요.

영화 〈동주〉의 팩트 문제

전: 그러면 이제 팩션과 연관해 팩트 문제를 짚어보면, 〈동주〉가 역사를 왜곡하거나 날조했다는 지적을 받을 수도 있을까요?

이: 그런 지적은 아직 없었어요. 일단 역사의 팩트와 픽션을 구분하면서 왜곡과 날조라는 단어를 많이 쓰는데, 왜곡은 원래 있던 걸 살리기 위해 꾸민 거라면, 날조는 없는 사실을 막 함부로 만든 것이죠. 왜곡과 날조는 전혀 다른 말인 거죠.

전: 헌데 흔히 혼재해서 쓰죠.

이: 왜곡은 맞지만 시차의 왜곡이라 해야겠죠. 분명히 취조를 한 기록은 있으니까요. 학자들은 그 사료를 근거로 책을 내고 창작자들은 책을

보고 팩트 사이에 있는 것을 추론해서 갭을 메우는 것이 창작인데, 그 추론의 과정 안에서 왜곡이 없을 수는 없죠. 왜곡을 위한 왜곡이 아닌 추론을 위한 왜곡이 되는 것 같아요. 따라서 왜곡을 지적하는 건 그다지 바람직하다고 할 수는 없을 거예요. 하지만 날조는 지적 받아 마땅하겠죠. 없는 사실을 만들었다거나 어떤 명확한 사실을 반대로 제시했다거나 그런 게 날조인데, 〈동주〉에서 날조가 있다면 딱 하나 있어요. 쿠미라는 캐릭터인데, 쿠미란 존재는 사실 가상의 인물이죠.

전: 창작인 거죠? 그렇다면 그것은 창작인데, 그런 '날조'는 받아들일 수 있는 건 아닐까요.

이: 받아들일 수 있지만, 왜곡과 날조 사이인 거겠죠. 동주가 일본 대학 다닐 때 찍었던 사진 중에 여학생 두 명이랑 소풍가서 찍었던 사진이 있어요. 그 사진에 찍힌 여자분이 생존해 계셔서 얼마 전 우리 인터뷰에 오셨어요. "동주, 그 친구는 소풍에 와서 아리랑 노래를 불렀다", 그런 얘기를 하시지 뭐예요. 동주는 릿교대에서 "아아 젊음은 오래 거기 남아 있거라"(「사랑스런 추억」, 1942.5.13.)라는 시를 썼는데, 그 시를 그때 쓴 건 아니지만 어떤 여학생과 같은 전차를 타고, 소풍을 가든지, 어디든 갔으면 좋겠다… 그런 추론을 하는 거죠. 거기에 쿠미라는 여성 인물을 넣은 거죠. 그 중 영국에서 출판을 해야 한다는 설정 자체는 날조라고 할 수 있겠죠. 시간은 많이 흘렀지만 1972년에 동주 시는 전 세계로 나가 있어요. 영국의 옥스퍼드 도서관에도 들어가 있죠.

또 하나는 연전에 다닐 때 이화여전 이여진이란 여자와 문학모임을 했다고 나오는데 이 인물도 사실은 없는 인물이에요. 그런데 동주 시와 동주 주변 사람들의 고증을 확인해보면, 흠모했던 여자가 있었으나 그 흠모했던 여자한테 한 번도 고백을 하지 않았다, 라는 것은 사실인 것 같아요. 어떤 여자가 있었던 거죠. 나는 그 여자를 영화 속에서 이여진으로 설정했지만, 실은 허구의 인물인 거죠. 그녀는 송몽규와 알던 사이라고 전제하고, 미션스쿨 다녔으니까 찬송가를 부르는 여자로 설정을 한 거죠. 사실 그게 다 날조겠죠? 정지용 선생도 실은 윤동주와 만난 사실이 없어요. 정지용 선생은 동주 사후에 서문을 써준 거니까. 그런데 정지용을 만나게 할 필요가 있었어요. 어찌됐든 1935년에 정지용이 자신의 시집을 윤동주에게 줬다는 것은 기록에 있거든요. 그런데 서로 시기가 안 맞아요. 영화 속에서는 영화적 장치를 위해 그런 부분을 조율한 거죠. 학자들은 그 부분들이 오류인 건 다 알겠죠. 한 인간의 일대기를 그리는 데 있어서 1935년부터의 10년 간을, 또는 그 10년 이후에 있었던 일을 압축적으로 그려내는 데 왜곡이 없을 순 없어요. 날조와 왜곡의 차이는 이런 지점이 아닐까요.

신연식 감독의 대본은 어떻게?

전: 신연식 감독이 대본을 썼는데, 감독님과 상의해가며 썼는지? 아니면 신 감독이 다 쓰고 난 후 감독님께 보여준 건지 궁금하네요.

이: 워크숍 갔다가 제천에서 올라오는데 무슨 영화 찍느냐고 신 감독이 물어보기에, 저예산 영화 하나 찍어야하는데, 저예산 영화 하나 써줄

수 있겠냐, 윤동주에 대해 쓰는데 제작비가 별로 안 드니, 1억 5천에 맞춰서 해봐라 그랬죠. 첫 장면, 끝 장면 등 설정들은 다 던져줬고요. 그 후 몇 달이 지난 뒤에 완성본을 가져왔죠. 초고는 그저 그랬어요. 일단 덮어뒀어요. 그리고는 영화 〈사도〉를 마치고 각색을 했어요, 신연식 감독 사무실에서…. 그때 물어봤죠. "신연식, 너는 고생을 많이 했는데 도대체 그동안 어떻게 영화를 했냐"고요. 그래서 "네가 제작해라"고 했죠(웃음).

전: 덕분에 빚도 다 갚았다고 그러더라고요.

이: (번돈을) '반띵' 하자고 그랬는데…(웃음)

전: 선배 잘 만나 신연식 감독은 이 영화로 성공했네요.

이: 아니, 신연식 감독이 충분히 보상을 받을만한 가치가 있는 일을 한 거죠.

전: 영화를 만들기 이전에 동주 관련 지식들이 축적되어 〈동주〉를 만들게 된 건지요? 아니면 〈동주〉라는 아이템을 영화화해야겠다, 해서 작정하고 동주에 관해 연구하신 건지요?

이: 〈동주〉를 아이템화한 건 아니예요. 〈동주〉는 동주 역시 도구로 이용한 것뿐이죠. 뭐냐면, 전 세계에서 화폐에 나와 있는 인물은 다 근현대 인물이죠. 근대의 인물이 없는 건 몽골 빼놓고 우리나라 밖에 없어

요. 몽골은 징기스칸 하나 밖에 없잖아요(웃음). 우리는 중세 이전의 인물을 쓰죠. 이순신, 세종대왕처럼…

전: 베트남은 다 호찌민이죠.

이: 베트남은 다 호찌민, 중국은 다 모택동이죠. 일본은 근대화를 주도적으로 했기 때문에 유명한 젊은 물리학자 등, 일본 돈에 나와 있는 인물은 전부 근대 인물이에요. 그런데 우리는 왜 근현대 인물들이 돈에 못 들어가느냐 이거예요? 역사를 정확하게 정의하지 못해서 그래요. 한때 이승만도 들어갔지만 바로 없어졌죠. 이승만의 뿌리가 허약하니까. 미국 보세요. 토마스 제퍼슨, 조지 워싱턴을 보세요. 1776년 미국의 독립운동이 없었으면 프랑스 혁명이 있을 수가 없었어요. 시민정신의 시작은, 1789년 프랑스 혁명 이전에 1776년 미국 독립전쟁이예요. 프랑스 친구들에게 혁명 정신이 발동하게 된 계기는 내가 봤을 때는 다름 아닌 그거죠. 그걸 보고 프랑스 사람들이 충격을 먹은 거죠. 영국의 식민지인 미국이, 영국이랑 전쟁을 해 이겼으니까.

전: 역사가 서로 영향을 주고받는다?

이: 그렇죠. 10여 년 전 미국 독립운동에 영감을 받아 프랑스 혁명이 일어나고, 그 이후 구 소비에트의 볼셰비키 혁명까지 어마어마한 사건들이 벌어지죠. 모든 나라에는 근현대를 만든 인물들이 있고 존경을 받고 있어요. 우리나라의 근대 인물 중에는 그런 사람이 바로 윤동주라고

나는 생각해요.

만원 지폐에 윤동주가 들어가야
윤동주의 저항은 비폭력, 무저항!

이: 난 우리나라 만원에 무조건 윤동주가 들어가 있어야 된다고 봐요. 만원짜리 지폐에! 만원에 윤동주가 들어가면 우리나라는 이제 그야말로 전근대적이라는 오명에서 벗어날 수 있을 거예요. 왜 동주여야 되냐면 인도에 간디가 있듯이 조선에는 동주가 있다는 거죠. 다른 사람, 예를 들어서 김원봉을 넣자니 북한 가서 공작을 당했고, 안중근을 넣자니 좀 애매하죠. 일본은 이토 히로부미가 최고로 알아주는 영웅이죠.

전: 그렇죠. 그쪽에서는 영웅이죠.

이: 윤동주의 저항은, 정신으로 치면 큰 의미가 있어요. 간디도 비폭력, 무저항 정신이었잖아요?

전: 아. 헤드카피 나왔다(웃음).

이: 만약에 안중근을 넣자면, 반대가 있을 거에요. 위에서 안 된다고 그럴 거 아니겠어요. 또 박정희를 넣자고 해도 안 된다 그럴 거예요. 헌데 윤동주는 누가 반대하겠어요? 김무성도 좋아하는 시인이 동주라 던데? 낭독도 했다면서요? 윤동주를 넣자 했을 때 반대하는 사람들은 다

이상한 사람이 되는 거죠. 반대할 수가 없어요.

전: 그 동안 감독님과 여러 번 만났지만 여태까지 듣지 못했던 말이네요.

이: 여기, 《쿨투라》를 발행하는 출판사니까 말하는 거예요, 여기니까?

전: 그래요? 그럼 이게 진짜 인터뷰네요.

인물을 통해서 역사를 바라보는 것

이: 아무데서나 이런 말을 해봐요. 어떻게 되겠어요? 친일의 뿌리는 깊어요. 윤동주가 1917년생이잖아요. 서정주는 1915년생이에요. 윤동주가 두 살 아래죠. 서정주가 1944년도 쓴 시 「마쓰이 오장 송가」는 가미가제(자살특공대)가 되어 죽은 조선인 조종사를 찬양하는 시잖아요. 해방 이후에 서정주와 인터뷰를 했더니 "해방이 될 줄은 몰랐지"라고 했다죠? 이게 서정주가 직접 한 말이라고요. 그런데 서정주는 해방 이후 대한민국 최고의 시인으로 추앙되는 바람에 '서정주, 서정주' 하고 그랬던 거죠. 서정주 그 시 찾아보세요, 「마쓰이 오장 송가」. 윤동주는 1944년 그 때 감옥에 있었는데….

나도 마찬가지고 대한민국 전체가 어떤 한 인물에 대해, 그 시대에 따라 그 사람이 삶 속에서 선택한 가치가 무엇인가를 제대로 학습하지는 못했던 거죠. 그래서 세대 간 소통이 안 되고 이념 간의 갈등이 아직도 있는 거죠. 그런 부분이 교육이 잘못되었다는 거죠. 그런데 우리나라는 개인주의가 늦게 도래한 나라잖아요. '충'은 전체주의, '효'는 가족주의라고요. 충효사상에 얽매여서 근대를 잃어버린 거죠. 역사를 배워도 사건 위주로 배웠어요. 그렇게 배우다 보니까, 인물사에 대해서 굉장히 취약해요. 사실 시대 속으로 들어가는 제일 효과적인 방법은 그 인물을 통해서 역사를 보는 거죠. 파스테르나크의 『닥터 지바고』가 국내 발표가 허용되지 않아서 1957년 이탈리아에서 출간되었고, 다음 해에 노벨상 문학상 수상자로 지명되죠. 하지만 소련 내에서 큰 반발이 일어나고 결국 작가는 수상을 거부하지만, 소설은 영화화돼 1965년 선보여 큰 인기몰이를 하게 되죠. 러시아 제정시기부터 현대까지, '지바고'라는 인물을 통해서 그 시대의 공기와 분위기를 다 보여주는 거죠.

전: 인물을 제목으로 내세우든 내세우지 않든, 그 인물을 보여준다는 거죠?

이: 그래요. 어떤 국가든 인물 중심으로 그 시대를 풀어간다고요. 헌데 우리는 사건 중심으로 바라보는 거예요, 아직도! 사건 중심으로 시대를 바라보는 편협한 관점에 머물러 있기 때문에 인물사에 취약한 거죠.

전: 사건 중심의 역사를 옹호하고 연구하는 사람들도 있을 텐데, 그와 관련해선 전문 역사가들한테도 의견을 구해봐야 할 것 같네요. 어때요?

이: 역사를 단순히 전쟁사와 정치사로 읽어왔죠.

전: 우리의 사건 중심 역사가 매우 미성숙하다는 말인가요?

이: 정치사와 역사적 사건만으로 푸는 건 전근대적인 역사관이죠. 문화사로 풀어야하는데, 이에 제일 효과적인 방법이 바로 인물사로 푸는 거죠.

전: 그래서 감독님은 〈동주〉와 〈박열〉을 만들게 된 거군요. 그러면 〈박열〉 이후에 영화는 또 인물영화로 갈지, 다른 걸 할지는 아직 모르시는 거죠?

이: 몰라요, 몰라.

이준익의 역사영화 시리즈

전: 그럼 이제 〈동주〉의 의미는 이 정도로 정리하고 이전의 영화들 몇 편에 대해 간단히 짚어본 뒤, 이 대담을 마무리하도록 하겠습니다. 아무래도 〈왕의 남자〉 이전에 〈황산벌〉을 통해서 감독으로서의 존재감을 환기시켰는데 이 〈황산벌〉은 개인 이준익만이 아니라 한국 영화의 장르 측면에서도 결정적인 작용을 했습니다. 사실 〈황산벌〉 이전에는 TV 드라마와는 달리 스크린 사극은 흥행이 전혀 안 된다는 불문율이 있었는데, 그런 인식을 깨고 나름 유의미한 큰 성공을 거두며 역사 영화의 시대를 여는 단초가 되었죠. 〈황산벌〉은 300만 관객이 가까이 들었죠.

이: 제작자이자 감독으로서 시나리오를 개발했어요. 그때 대선을 앞두고 있었는데, 선거 때 전라도 대 경상도 이렇게 나눠지는 거, 이 지역

감정의 뿌리는 무언가, 생각해보게 됐죠. 이게 1970년대에 박정희 선거 때 심화된 게 현재까지 고질화 된 것이라는 '썰'도 있지 더 거슬러가 보자. 전라 · 경상으로 선거 때마다 갈라지는 지역감정의 뿌리를 한번 명확하게 찾아보자, 하다 보니 〈황산벌〉까지 간 거죠. 나제동맹, 여제동맹 시절에 어쨌든 신라가 나당연합군을 통해 통일을 했잖아요. 영화를 만들 때 레퍼런스가 됐던 영화들로 〈몬티 파이튼〉(테리 길리엄 감독) 시리즈가 있었어요. 그 영화들을 보면, 제국주의를 경험한 나라는 자국의 역사를 조롱할 줄 안다는 걸 알 수 있어요. 제국주의와 제국주의 아닌 나라의 가장 큰 차이점을 생각해봤어요. 매뉴얼을 만드는 나라가 제국주의죠. 매뉴얼을 따라하는 나라는 제국주의가 아니고요. 우리는 명나라 때는 명나라 거를 따라야 되고, 식민지 때는 일본의 매뉴얼을 따랐죠. 그런데 일본은 매뉴얼을 만든 나라죠. 식민통치를 했으니까. 프랑스도 제국주의를 했으니까, 매뉴얼을 만든 나라고요.

우리가 매뉴얼을 만든 건 한글이죠. 우리나라가 만든 것 중 가장 위대한 거죠. 우리는 어떤 제도적인 측면에서 매뉴얼을 계속 갖다 쓰기만 했어요. 자국의 역사를 스스로 조롱할 수 있는 담대함과 용기가 필요하지 않을까요? 나약한 나라는 자국의 역사를 조롱할 줄 몰라요. 미화시키고 과장시켜요. 그래서 현대 대한민국에서의 역사를 조망할 때는 스스로 조롱할 수 있을 정도의 엄청난 자신감을 갖고 만들어내야 한다고 생각해요. 그러지 않으면 우린 늘 제국주의의 하수인으로 살아갈 수밖에 없다, 이런 생각을 했어요.

어떠한 현상이든, 결과적으로는 다양한 현상들에 대해서 그것이 곧 현실이라면 인정을 해야 되요. 현실을 부정할 수는 없다고요. 그런 현실이 있음에도, 새로운 현상을 만드는데 게을리 하면 안 되죠. 그 사회에서 가장 앞서간 생각을 할 수 있는 것은 당연히 예술가일 수밖에 없는 거예요. 예술은 기존의 제도를 부정하는 과정 중에서 새로운 제도를 만드는데 기폭제 역할을 하는 거니까. 기존의 시스템을 의심하고, 짱돌을 던지고, 의문을 던지고, 그 의문 속에서 또 모순으로 전환되는 게 인류 역사의 발전이니까. 자기미화보다는 자기조롱을 통해서 훨씬 더 역사를 보는 눈도 깊어지고 역으로 자신감을 획득할 수 있게 한다고 봐요. 그래서 〈황산벌〉에서 김춘추니 김유신이니 의자왕이니 뭐 다 동네 양아치들처럼 묘사한 거죠.

전: 〈황산벌〉은 역사학자들은 물론 영화를 진지하게 보는 많은 평론가들을 당황시켰는데, 감독님의 작의대로 영화를 읽어낸 평론을 본 적이 있는지요?

이: 그렇게 영화를 읽은 평론가는 단 한명도 못 봤어요. 역사학자 중 딱 한명 봤는데, 김기봉 교수였죠.

전: 경기대 사학과 김기봉 교수가 팩션 영화에 관한 책(『팩션시대, 영화와 역사를 중매하다』, 2006)을 쓰면서 〈황산벌〉과 〈왕의 남자〉 등 감독님의 영화에 대해 심층적으로 파고들었죠.

이: 김기봉 교수는 독일에서 역사를 공부했는데 독일에서 역사를 배운 사람들은 역사를 보는 관점들이 다르더라고요. 어떤 강의에서는 '이

준익 역사 3부작'을 대상으로 김기봉 교수의 해석이 인용되며 강의되고 있기도 하고요. 〈황산벌〉이 개봉되고 나서 김기봉 교수와 처음 만날 때 중앙일보 사장도 같이 만났는데 그때 그 사장 분이 그러더군요. "왜 이런 식으로 영화를 만드냐, 이 영화를 만든 감독은 민족의 반역자다."라고. 그때 나는 민족의 반역자가 되었죠. 우리에겐 성공한 사람들의 목소리에 힘이 실리는 이상한, 나쁜 문화가 있어요.

전: 2010년인가 11년인가, 저와 서울 광화문에서 열린 세계인문주간 개막 행사에 참여했을 때, 제가 이 감독님께 감독님이 생각하는 인문학이 뭐냐고 물었었죠. 감독님 왈, "영화가 인문학이다"라고 답했죠. 그때 김기봉 교수가 그 답변을 듣고서, 당시는 하도 큰 쇼크를 먹고 기분이 상당히 나빴는데, 나중에 곰곰이 생각해보니 그게 정답이더라고 하시더군요. 그 이후 김교수는 한국연구재단 주관으로 진행된 부산국제영화제 컨퍼런스&포럼 한 세션에서 그런 취지의 논문을 발표했고, 그 이후 줄곧 그런 입장을 견지해오고 있죠.

이: 사실 영화 필름메이커들은 자기가 인문학을 하는 건지 자각하지도 못한 채 치밀하게 인문학을 연구하고 있다고 말할 수 있어요. 역사를 보는 관점은 분야별로 다 대등하게 대우를 받아야 해요. 그런데 우리나라가 역사를 보는 관점의 수준이 낮은 이유는, 전쟁사와 정치사만 보려고 하니까 그런 거예요. 이게 가장 낮은 단계거든요. 그거 말고도 문화사로 즉, 문학사, 영화사, 음식사 등 역사를 보는 다양한 관점이 있잖아요. 사극 영화를 찍는다? 그럼 의상 문제도 있잖아요? 예를 들어서 〈왕의 남자〉

는 조선 전기에서 중기 사이죠. 그 사이에 법칙성을 갖고 있는 거죠. 고려 말까지는 의상이 굉장히 화려했었죠. 그럼 그런 고려 말의 의상이 조선시대가 되면서 갑자기 바뀔까요? 아니예요. 조선 중기까지 의상도 화려했어요. 굉장히 화려했고 심지어 저고리 길이도 굉장히 길었지요. 그러다가 점점 올라가요. 그 길이까지도 다 고증을 통해서, 그때 당시 자료를 다 보고 고증을 해요. 머리, 비녀 등등 어마어마한 장식사죠. 의상 담당은 당시의 의상에 대해 역사학자보다 훨씬 더 많이 알아요. 웬만한 역사학자도 자세히 설명을 못 해요. 뭘 입히고, 뭘 먹이고, 뭘 하고 고려부터 조선 전기, 중기, 말기까지의 역사를 공부해야 만들 수 있어요. 그런 게 살아있는 인문학인 거죠.

전: 확실히 정리가 되네요. 그럼 〈왕의 남자〉의 경우, 〈황산벌〉에 쏟아지는 비판 내지 비난, 이런 것들에 맞서 좀 더 승화해보려는 욕구가 있었던 건지요?

이: 맞아요.

전: 〈왕의 남자〉는 한국 영화 사상 세 번째로 천만 관객을 넘었습니다. 이후 〈광해, 왕이 된 남자〉 〈명량〉에 이르기까지 14편의 천만 영화 중 역사영화가 세 편이죠. 이들 외에도 역사 영화는 제법 많고요. 이른바 '이준익의 역사 3부작' 중 마지막 영화인 〈평양성〉의 흥행이 부진하자 상업 영화계를 은퇴한다면서 잠시 떠나 계셨는데, 그건 오해였던 거죠?

이: 일종의 자학이었죠, 자학!

전: 자학이었다? 그래도 충전은 충분히 했었죠, 그때?

이: 2년 동안 뭐, 나름 영화제들 돌아다니며 휴식을 취했죠.

전: 사람은 잘 쉬어야 하죠. 그 점에서 그때 그 휴식은 꽤 유의미했지 않았나 싶어요. 하튼 2013년 〈소원〉으로 큰 성공은 아니어도 소박하게, 의미 있는 복귀를 하셨죠. 그 이후 〈사도〉, 〈동주〉로 최근 2년 새 나름 전성기를 구가하고 있다고 보는데, 제작자 말고 감독으로서 돌이켜 보면 어떻습니까?

감독으로서의 이준익

이: 나는 잘 해먹었죠(웃음). 내 세대는 잘 해먹은 세대예요. 거지가 돼도 할 말이 없어요.

전: 〈아수라〉의 김성수 감독이 어느 인터뷰에서 386세대의 반성에 대해 말했는데, 그런 반성도 깔려 있는 겁니까?

이: 반성? 당연히 있죠. 너무 잘 해먹었기 때문에, 어디 가서 '요새 애들 어떠니' 하면 안 된다고 생각해요.

전: 제가 봤을 때도 기성세대가 결코 해서는 안 될 말이 자식 세대들을 가리켜, '왜 그렇게 아무 생각 없니 사니' 같은 말인 것 같아요. 생각이 다른 거지, 자기 생각이 없는 게 아니니까요.

이: 우리는 재능과 능력 이상의 혜택을 받고 살아온 세대죠. 너무나 잘 해먹었죠, 시절이 좋아서?

전: 〈평양성〉과 연관해, 〈평양성〉만의 미덕, 강점이 있었을 거라 보는데 어떻습니까?

이: 〈황산벌〉은 동서 지역갈등 때문에 만든 영화고, 〈평양성〉은 남북 분단문제 때문에 만든 영화죠. 헌데 남북과 관련된 어떤 균형 있는, 평소의 생각과 표현들을 만들어낸다는 것은 굉장히 어렵고 위험한 일이죠. 1300여 년 전을 배경으로 하면 조금은 더 자유롭게 표현할 수 있었죠. 사실 한-중 관계까지 얘기가 이어져야 하는데 〈평양성〉으로 남북 관계에서 멈추는 바람에 그게 아쉬워요. 더 나갔으면 중국과 경상도와도 붙여 보는 건데 〈평양성〉에서 자빠지는 바람에…

전: 뭐, 영화가 흥행 스코어로 좌우되는 건 아니지만, 스크린 사극은 안 된다는 때에 개봉한 〈황산벌〉로 280만이 넘는 큰 성과를 거뒀고. 〈왕의 남자〉의 대성공 이후 5년여가 지난 뒤 〈평양성〉을 선보였는데, 그 〈평양성〉이 200만이 채 안 되는 스코어에 그친 건 무슨 이유였다고 자평하시나요?

이: 내가 너무 멀리 갔다는 느낌이 있어요. 아직도 우리나라 사회에서는 엄숙주의와 그 엄숙주의에서 나온 영웅주의가 있어요. 그게 아직은 보편적 정당성을 보여주는 방식이죠. 그런데 〈평양성〉은 〈황산벌〉보다 더 심하게 자기 조롱을 하는 영화죠. 그러니까 소화 불량이 되는 거죠. 키득거리면서 즐길 수 있을 정도의 탈 엄숙주의랄까, 그런 게 안 통했던 거죠. 너무 멀리 갔구나, 싶더군요. 사실 나는 더 가고 싶었어요. 〈평양성〉보다도 더, 역사를 소재로 장난질하고 그 주인공을 대상으로 더 찌질하게 조롱하고, 그래서 자기 미화의 특성을 제거하고… 그게 멋진 거 아닌가요? 헌데 그게 생각대로 잘 안된 거죠.

전: 〈평양성〉 전에 〈구르믈 버서난 달처럼〉을 만드셨죠. 이준익 감독의 역사 영화를 말할 때 〈평양성〉까지 묶어서 3부작을 말하지, 〈구르믈 버서난 달처럼〉까지 포함해 4부작이라곤 하지 않잖아요. 그런 의미에서 〈구르믈 버서난 달처럼〉은 이준익 감독의 필모그래피에서 상대적으로 홀대받는 영화가 되어버렸는데, 어떻게 생각하세요? 평가를 제대로 받지 못했다고 보시나요? 아니면 본인도 그 영화를 쉬어가는 영화라고 여기시나요?

이: 모든 영화는 정치적이죠. 의도하든 의도하지 않든지 간에. 하지만 〈구르믈 버서난 달처럼〉은 지나치게 정치적인 영화였어요. 전과 13범을 대통령으로 만드는 나라에 대해… 소위 말해서 자중지란自中之亂의 끝을 보여주는 영화였죠. 자국에 대한 조롱을 넘어서서 이제 자폭하는 이야기라, 의도 자체가 불량했죠. 원작(박흥용 화백의 동명 만화)은 훌륭한데

그중 성장 드라마를 다 버려버리고 썼어요. 내용 중 '대동사상大同思想'이 나오는데, 이 대동사상이 말하자면 요즘의 민주주의죠. 모두 동등한 세상을 꿈꾸는 정여립의 사상을 추종하는 이봉학이라는 인물이 난을 일으키는데, 거기에는 황정학이라는 원작에 있는 맹인검객이 추구하는 샛길의 철학, 그리고 이봉학이 추구하는 큰길의 철학, 이 두 가지가 공존하면서 서자인 견자가 동행을 하면서 관계의 파국들이 결국에는 종국으로 이어지죠. 궁까지 다 왔으나 선조도 그저 도망가 버렸고, 자중지란 속 이봉학이랑 견자랑 목숨 걸고 싸울 수밖에 없는 비참한 현실의 내러티브가 상징하는 면이 있죠. 그건 지금 현재 벌어지고 있는 국민들의 촛불과 맞불 상황을 예고한 영화죠. 시나리오를 쓴 조철현 작가와 같이 〈구르믈 버서난 달처럼〉을 다시 보면, "우리가 몇 년 전에 어떻게 이걸 했지?" 그래요. 당시 이명박의 대권 도전 이후 10년 내로 벌어질 상황을 시나리오로 쓰자 했는데, 그게 현재의 촛불과 깃발(태극기) 싸움에 대한 예언이 된 셈이죠. 당시 이명박이 당선되고 얼마 안되서 우리는 그런 예언적인 영화를 만들어 놓은 거죠.

전: 시대와 연관지어 영화를 말하면 크게 시대를 따라가는 영화, 앞서가는 영화, 나란히 가는 영화들이 있는데 〈구르믈 버서난 달처럼〉은 앞서 가도 너무 많이 앞서간 영화였군요.

그리고 〈라디오스타〉, 〈즐거운 인생〉, 〈님은 먼 곳에〉 이 세 편의 현대물들은 우연인지 의도적인지 다 음악이 주인공이고 핵심 모티브인 영화들인데, 그 시절에 음악에 빠져 산겁니까, 아니면 평상시에 원래 음악을 즐겨 들으십니까?

이: 음악보다 위대한 건 없죠.

전: 중요한 발언입니다.

이: 음악은 가장 원초적인 거예요. 왜 원초적이냐면 인간의 감각에서, 감각 기관 중 제일 먼저 트이는 게 귀죠. 두 번째는 촉각이고, 제일 늦게 트이는 게 시각이라고 해요. 그러면 소리를 통해서 체득한 세포의 반응은 그 원형을 유지할 수밖에 없는데, 시각은 더 자극적인 게 나오면 계속 덮어쓰기가 되는 거죠. 난 시각을 믿지 않아요. 사람은 시각에 현혹되기 때문이죠. 거짓말 탐지기가 소리로 하는 거잖아요. 말은 꾸며낼 수 있지만, 소리는 꾸며낼 수 없거든요. 소리의 소중함 · 미래 산업은 소리에 있다고 봐요. 아무리 알파고니 뭐니 해도 미래산업은 소리를 쥐는 자가 성공한다고 봐요. 대부분 영화를 접할 때 이미지 중심으로 보고 음악이나 사운드 측면은 소홀히 하는데, 소리는 집중을 하게 하는 최고의 장치라고 봐요. 소리를 다루는 자가 최후의 승자가 될 거예요.

전: 지금까지 대담 감사합니다. 진솔한 대담으로 〈동주〉 영화에 대해서 중요한 코드들을 잘 짚어 주셨다고 생각합니다. '시민정신' 이라든지, '비폭력 저항' 이라든지, '시대정신' 이라든지, '현실의 반영' 이라든지, 그런 것들을 잘 담아낸 영화 〈동주〉의 '오늘의 영화' 최고작 선정을 다시 한 번 축하드리며 마치겠습니다.

【'작가'가 선정한 오늘의 영화】 시리즈

2006 '작가'가 선정한 **오늘의 영화**_2006 이준익 감독 〈왕의 남자〉 外
기획위원 / 강유정 김서영 강태규 신국판 / 값 9,500원

2007 '작가'가 선정한 **오늘의 영화**_2007 김태용 감독 〈가족의 탄생〉 外
기획위원 / 강유정 이상용 황진미 신국판 / 값 9,500원

2008 '작가'가 선정한 **오늘의 영화**_2008 이창동 감독 〈밀양〉 外
기획위원 / 유지나 강태규 설규주 신국판 / 값 10,000원

2009 '작가'가 선정한 **오늘의 영화**_2009 장훈 감독 〈영화는 영화다〉 外
기획위원 / 유지나 전찬일 강태규 신국판 / 값 10,000원

2010 '작가'가 선정한 **오늘의 영화**_2010 봉준호 감독 〈마더〉 外
기획위원 / 유지나 전찬일 강태규 신국판 / 값 10,000원

2011 '작가'가 선정한 **오늘의 영화**_2011 이창동 감독 〈시〉 外
기획위원 / 유지나 전찬일 강태규 신국판 / 값 12,000원

2012 '작가'가 선정한 **오늘의 영화**_2012 이한 감독 〈완득이〉 外
기획위원 / 유지나 전찬일 강태규 신국판 / 값 12,000원

2013 '작가'가 선정한 **오늘의 영화**_2013 윤종빈 감독 〈범죄와의 전쟁 : 나쁜 놈들 전성시대〉 外
기획위원 / 유지나 전찬일 강유정 신국판 / 값 12,000원

2014 '작가'가 선정한 **오늘의 영화**_2014 봉준호 감독 〈설국열차〉 外
기획위원 / 유지나 전찬일 강유정 신국판 / 값 12,000원

2015 '작가'가 선정한 **오늘의 영화**_2015 김한민 감독 〈명량〉 外
기획위원 / 전찬일 홍용희 이재복 강태규 손정순 신국판 / 값 14,000원

2016 '작가'가 선정한 **오늘의 영화**_2016 류승완 감독 〈베테랑〉 外
기획위원 / 유지나 전찬일 이재복 강태규 손정순 신국판 / 값 14,000원

2017 '작가'가 선정한 **오늘의 영화**_2017 이준익 감독 〈동주〉 外
기획위원 / 유지나 전찬일 손정순 신국판 / 값 14,000원

이 도서의 국립중앙도서관 출판시도서목록(CIP)은 e-CIP 홈페이지
(http://www.nl.go.kr/ecip)에서 이용하실 수 있습니다.
(CIP 제어번호 : CIP2017006382)

2017 '작가'가 선정한 오늘의 영화

2017년 3월 13일 초판 1쇄 인쇄
2017년 3월 17일 초판 1쇄 발행

지은이 | 유지나 전찬일 이준익 외
펴낸이 | 孫貞順
펴낸곳 | 도서출판 작가
서울 서대문구 북아현로89 버금랑빌딩 2층(03761)
전화 | 365-8111~2 팩스 | 365-8110
이메일 | morebook@morebook.co.kr
홈페이지 | www.morebook.co.kr
등록번호 | 제13-630호(2000. 2. 9.)

기획위원 | 유지나 전찬일 손정순
편집 | 손희 김이하 정여진
디자인 | 오경은
영업 · 관리 | 이용승

ISBN 978-89-94815-67-1 (93680)

값 14,000원